Ⓢ新潮新書

中村逸郎
NAKAMURA Itsuro

ロシアを
決して信じるな

896

新潮社

ロシアを決して信じるな ∞ 目次

序　章◆核ボタンはついに押されたのか!? 8
人類は滅亡の日を迎えていたのか／大統領補佐官の証言／核バッグは故障していたのか／ロシア外務省の怠慢／平和時こそ危ない／バトゥーリン氏との出会い

第一章◆暗殺社会ロシア 23
毒を盛られた／毒裁国家ロシア／毒殺の歴史／災難への誘惑

第二章◆「ひたすら祈る」——魔窟からの脱出 39
古いロシアが生き続ける／最悪の事態、スーツケースの紛失／摩訶不思議の国／一つの手荷物を発見できた／最後は祈るのみ

第三章◆倒錯する日常生活 55
空回りのロシア／数字が無意味でめちゃくちゃ／ロシア人のいないところが「いいところ」

第四章 ◆ 決して信じるな ── ロシア人は嘘八百 70
騙されやすい人を狙え／嘘に嘘を重ねるのがロシア流／領土問題という悲劇／四島一括返還が本筋／返還が可能なタイミングはあったのか／プーチンへの「接待外交」／思いつき外交の弊害／ロシアが本音を吐いた／北方領土の現実を見よ／領土返還交渉は終わった

第五章 ◆「偽プーチン」説の真相 93
悪魔に魅了されるロシア人／プーチン元夫人の証言の真贋／本当のプーチンは死んだのか／プーチン政治の急変／偽プーチン説の流布／「打倒、プーチン」

第六章 ◆ 飲まずにはいられない ── 世界最悪の飲酒大国 108
シベリアとは／「シベリアのパリ」／大平原のなかの虚しさ／極上ウオッカの出番／ウオッカの飲み方／ビンから絞り出すほどに／警察官は「伝説の人」／オイルとウオッカ／ロシアはヨーロッパなのか

第七章 ◆ 祖国を愛せないロシア人の悲哀 127
ロシア人の根本的な不幸／おんぼろバスでの喧騒／嚙み合わないロシア人同士の会話／再起不能のロシア／それでも「ロシアは偉大」なのか／政敵の暗殺事件／プーチン氏は終身大統領

第八章 ◆ ロシアの二枚舌外交 ―― ウラジオストクの北朝鮮労働者 144
一本の電話からはじまった／北朝鮮労働者の働き方とは／ウラジオストクと朝鮮人の結びつき／ロシアと北朝鮮の関係史／朝鮮人の住処に潜入／人道支援する朝鮮系ロシア人／国連による北朝鮮への制裁強化／朝鮮半島ビジネスを狙え

第九章 ◆ モスクワのわるいやつら ―― さもしさがあふれる都市 162
すぐに破棄される約束／約束するにはその条件を確定すること／善意につけ込むロシア人／賛美される他力本願の生き方

第一〇章◆暴走する親切心 178
おせっかいな親切心／欧米スタイルを崩すロシア流の親切心／注意はするけど、お好きなように

終　章◆絶望のロシア 190
不条理の国／状況を突破せよ

あとがき 195

参考文献一覧 201

序章　核ボタンはついに押されたのか⁉

人類は滅亡の日を迎えていたのか

わたしが入手したロシア語の資料に綴（つづ）られている文章によれば、一九九五年一月二五日午前九時過ぎのこと……。わたしたちの知らないところで、米露の核戦争がはじまり、人類史上、最悪の危機を迎えていたかもしれないのだ。

「ロシアの監視システムが、敏速に機能した。（ロシア連邦軍）参謀本部に、ロシアが（アメリカから）核攻撃を受けているという警報が入った。当時のボリース・エリツィン大統領は『核バッグ』（核のブリーフケースといわれる、大統領が所管する核兵器の起動システム。コードネームは『チェゲート』）を使用して、国防相と参謀総長に連絡をとり、緊急の協議をはじめた。

その直後、エリツィンは『核』ボタンを押し、システムを作動させるためのコードを送信した。こうして全面戦争の準備は開始された。しかし、システム（核バッグ）はうまく作動しなかった。幸いにも、全世界は救われた。そうこうしている間に、ミサイルはロシア領から離れていったという連絡が入った。『カズベーク』（戦略核兵器を指揮、制御する自動システム）の作動は、解除された。こうして第三次世界大戦は、なんとか勃発（ぼっぱつ）せずにすんだ。ただし、ロシアの核バッグに関わるインシデントが、少なからず発生していたことを補足する」


この極秘資料によれば、ロシア領土にむかって飛んできている核ミサイルをレーダーが探知。核バッグによって核兵器の自動制御システムを起動させ、ロシア軍は戦闘モードに突入することになったが、なぜかうまく作動しなかったというのである。

当時、ノルウェー沖の海域にはアメリカ軍の原子力潜水艦が活動しており、ロシア高官たちに激しい動揺が走ったのは想像できる。

だが、システムが「うまく作動しなかった」とは、どういうことなのだろうか。また、核ボタンが押されたとも記されているが、そのようなものが本当に存在するのか。

そもそも核バッグがロシアで製造されたのは一九八三年であり、翌年から当時のソ連共産党書記長コンスタンティーン・チェルネンコが携帯することになった。

歴史を振り返ると、一九七九年末にソ連がアフガニスタンに軍事侵攻し、米ソ関係は急速に悪化した。その後、アメリカのレーガン大統領はソ連を「悪の帝国」と非難し、一九八三年秋に両国はキューバ危機以来といわれる最悪の局面を迎えた。

ソ連は東ヨーロッパにSS20型ミサイルを配備し、アメリカはパーシングⅡ型ミサイルで対抗。ヨーロッパを舞台に核戦争の脅威(きょうい)が高まったのである。この一九八三年の対米関係の悪化を受けて、核バッグが開発された。


一九九五年一月二五日、クレムリンでなにが起こっていたのか。

真偽のほどを確認するために、二〇二〇年二月二一日、資料を手にわたしはモスクワに飛んだ。新型コロナの感染拡大で、日露間の定期航空便が運航停止に追い込まれたのは三月三〇日だったので、結果的にギリギリのタイミングで渡航できた。そして到着の翌日、二月二二日午前一一時過ぎのこと。

モスクワ都心にあるホテルのロビーの片隅で、わたしはとても緊張しながら、ある人物の到着を待っていた。ロビーといっても、大勢の人たちが行き交ったり、大声で談笑したりするような雰囲気ではなく、ソファーが六つほど置かれた小部屋という感じだ。わたしが選んだソファーは壁際の太い柱のそばで、ロビー脇の通路から死角に位置していた。

一九九五年当時のロシアはエリツィン大統領の指揮下にあり、大統領補佐官として国家安全保障問題を担当していたのが、ユーリー・バトゥーリン氏だ。一九四九年六月生まれの七〇歳。いまでも多くの肩書きをもっている要人といえる。

大統領補佐官の証言

わたしはバトゥーリン氏を、一一時一〇分にホテル玄関口で出迎えた。外気温はマイナス三度、かれの厚手の外套から冷気が漂ってくる。かれは几帳面な性格らしく、荒い鼻息を立てながらも、遅刻したことをわたしにわびた。わたしは、わざわざホテルまで足を運んでもらったことに感謝の意を伝え、握手した。

あらかじめ確保していたソファーに座り、肝心な話題へと入っていった。わたしが核バッグに関する資料を手渡すと、バトゥーリン氏は眼鏡をはずして読みはじめる。わたしが横から説明を加えるのだが、耳に入らないようだ。読み終わったバトゥーリン氏はわたしのほうを振り向き、資料に記されているように深刻な危機に陥（おちい）ったのは一九九五年一月二五日午前九時過ぎで間違いないと証言した。そのうえで「この危機について話すのははじめてのことだ」と小声で明かした。

エリツィン氏が大統領を辞任したのは一九九九年一二月三一日。その危機的な状況は辞任の五年まえの出来事だったのである。

話を、重大な局面を迎えた一九九五年一月二五日の出来事に移そう。

その日は午前八時過ぎから、バトゥーリン氏はクレムリンの自分の執務室で勤務していた。エリツィン大統領は午前九時ごろから、モスクワの南南東三七〇キロに位置するリーペツク市内の工場を視察予定だった。バトゥーリン氏が出勤してから一時間半後の午前九時二四分ごろ、以下の「緊急連絡」が入ったという。

「ノルウェーの方角から、ロシア、そしてモスクワにむけて核ミサイルが飛んできている。首都に着弾するのに二〇分もかからない」

衝撃の事実を語ったバトゥーリン元大統領補佐官（左）と著者。
2020年の新年をモスクワで祝った。

こうして「ノルウェー・インシデント」といわれる事態がはじまったという。

バトゥーリン氏はさらに、ロシア国防省高官から追加の情報がもたらされたと証言する。

「『ミサイル防空システムがノルウェー沖の上空で核ミサイルのような飛翔体(ひしょうたい)を探知した。すぐに、状況の把握を開始……』というのです。アメリカからの核攻撃がはじまったのか、それとも誤認、または誤作動なのか……。すぐに結論を出さなければなりません。わたしたちは我が国に対する攻撃だと断定しました」

ロシアのレーダーが捉(とら)えたさい、飛翔体は真上に上昇していたために、ノルウェー沖で活動するアメリカの潜水艦から発射されたミサイルだと判断したようである。というのも他に、ノルウェー周辺に戦略ミサイルが配備されたという警戒情報はなかったからである。もちろん飛翔体が潜水艦から発射されたミサイルで、本当にロシアを攻撃するものであるという「完全な確信」があったわけではないらしい。「だが、最悪の事態を想定した」とバトゥーリン氏は念を押す。

ただちに核バッグを使用してエリツィン大統領、パーヴェル・グラチョーフ国防相、ミハイール・コレースニコフ参謀総長の緊急協議が開始された。当時、核バッグはこの三人が有しており、予備用にもう一個、保管されていたようだ。バトゥーリン氏は、そのときの様子について……。

「エリツィン大統領がボタンを押すべきかどうか、激しい議論が巻き起こりました。国防相は、ボタンを押すべきだと叫びました。でも大統領は、本当にアメリカがロシアを攻撃するなんて信じられないと躊躇しました」

バトゥーリン氏の話が本当ならば、冒頭の資料と合致しない。資料には、核ボタンは押されたが、システムがうまく作動しなかったと記されていた。どちらが、事実なのだろうか。仮に故障していたならば、なんという間抜けなロシア。緊急事態に対処できないロシア。ロシアらしい大失態といえるが、そんなロシアに、世界は助けられたという皮肉。

その一方で、バトゥーリン氏の証言によれば、核ミサイルがロシアにむかって飛んでくる危険が迫るなかで、エリツィン大統領はアメリカに信頼を寄せていたことになる。国防相の判断は職務上当然だとしても、エリツィン氏との齟齬(そご)が浮き彫りになった。

核バッグは故障していたのか

わたしがどうしても気になるのは、ボタンを押してもシステムが動かなかった、つまり「核ボタンは本当に故障していたのか」どうかである。それが事実とすれば、たしかに結果的に、故障していたおかげで核戦争にいたらなかったといえるかもしれないが、逆にいえば、そのようなずさんな管理状態ならば、とても危険なことだ。誤作動で核ミサイルを発射してしまうこともあるかもしれないからである。

バトゥーリン氏は、とても恐ろしい目でわたしを睨(にら)んだ。

「そんな単純な話ではないのだ」

この一言をいい終えると、怪訝(けげん)な表情を浮かべる。

では、故障していなかったのか。かれは「うまく作動しなかった」という資料の記述を、明確に否定するわけではない。わたしが真偽のほどを追及すると、ついにこう言い放った。

「わたしたちはいま、どこの国にいるのかわかりますか」

わたしはその一言で、すっかり気勢を削がれてしまった。危ない話に分け入っているのだ。わたしの萎縮した気持ちを察したのか、バトゥーリン氏はこう話を続ける。

「たしかに、核バッグは開けられました。核バッグを起動しようとしたのは、ロシア史上、ただ一回、そのときだけです。でもそのことでもって、すぐに迎撃ミサイルを発射したり、核ミサイルをアメリカに撃ち込んだり、ということにはなりません。当時の核バッグがここにあれば、わたしはあなたに一つひとつのボタンやスイッチの機能について説明することはできます。もう一度繰り返しますが、エリツィン大統領はアメリカがロシアを攻撃することを信じていなかったのです」

はたして核ボタンは故障していたのか、またはエリツィン氏はアメリカの攻撃を信じなかったのか、いずれにしてもロシア側は行動をとらなかった。そうこうしている間に、ロシアへのミサイル攻撃という第一報から二四分後、飛翔体はノルウェーのスピッツベルゲン島付近に着水したことをロシア国防省が確認した。ノルウェー本土から真北に約一〇〇〇キロの地点に浮かぶ島の沖合だった。

じつは一九九五年当時の核バッグは現在、エリツィン氏の出身地域、ウラル山脈の東側に位置するエカチェリーンブルク市に保管されている。二〇一五年に開設された「エリツィン・センター」の一角にある。

その情報を教えてくれたバトゥーリン氏は、こう言い足した。

「いまプーチン大統領のそばにある核バッグは、当時のものとはまったくレベルが違いますし、技術的にも大きく進化しています。それに、定期的にアップデートされています」

ロシア外務省の怠慢

では、ロシア国防省が探知した飛翔体とは、なんだったのか。アメリカの潜水艦から発射されたものではなかったのか。どうやら、そうではなかった。

ノルウェーのヌールラン県最北端に位置するアンドイ島には、オーロラ観測用ロケットの発射場がある。一九九五年一月二五日朝の気温はマイナス四度。この時期はいつも強風が吹き荒れるのだが、その日にかぎって弱風であったらしい。

さっそく高さ一五メートルのロケット発射台が設置されたが、運ばれたロケットは従来よりもはるかに大型であったという。ロケットにはいくつものブースターが取り付けられており、一つひとつが切り離されながら上空一五〇〇キロまで上昇した。バトゥーリン氏によれば、ロシアは真上に上昇するロケットを、アメリカの潜水艦から発射されたミサイルと誤認したようだ。厄介なのは、ミサイルとロケットの違いは、構造上ほぼないに等しい点である。ロケットはオーロラ観測が目的であり、ロシア外務省は通常、ノルウェー側から事前に「平和利用のためのロケット発射」という通告を受けていた。

バトゥーリン氏は、当時のロシア国内の不手際について貴重な情報を教えてくれた。

「ノルウェー・インシデントの一カ月まえの一九九四年一二月二一日と翌年の一月一六日の二回、ノルウェー政府から在ノルウェー・ロシア大使館に観測用ロケットの発射について予告が入りました。もちろん、ロケットをあげるにしても、当日の天気に左右されますので、正確な日時は告げられませんでした。ところが大使館はロシア外務省に情報を転送しなかった。このために、国防省のミサイル警戒システムの担当者はなにも知らなかったのです」

スケジュールが未定の情報が回ってきたロシア大使館に、思い込みがあったようだ。ロケットが打ち上げられる日時が確定すれば、あらためてノルウェー政府から連絡が入ると過信していたようである。

バトゥーリン氏はわたしの目を見据えて、語気を強める。

「そもそも事の発端はロシア外務省にあります。所詮、官僚機関なんです。ロケット発射について大使館がノルウェー政府に確認をとり、その情報を随時、本省に伝えておけばよかったのです。もちろん、外務省から国防省に、情報が正確に転送されていたかどうかは、わかりません。外務省という機関は、国防の危機的な状況ではまったく信頼できません。国家の安全保障という重大な任務は、国防省がしっかり負わなければならないのです。ノルウェー政府にしても、ロシア国防省に直接連絡すべき事案でした」

平和時こそ危ない

米露関係を振り返っても、当時は米ソ冷戦時代の軍事的な緊張とは様相がまったく異なっていた。一九八九年一一月にベルリンの壁が崩壊し、翌月に米ソ冷戦は終結した。混迷を極めるロシアへの経済協力が、先進国首脳会議（G7）の主要テーマになっていた。ロシアと欧米諸国は急接近し、九四年のG7ナポリ会合では政治問題討議に、はじめてロシアが迎え入れられた。

わたしが強調したいのは、核戦争の脅威は軍事的な対立が高まったときにかぎらないということだ。九五年の一件は、米ソ冷戦が終結し、両国の緊張緩和、そして協調関係が確立されていくなかで発生した。軍や政府関係者の間で、軍事的な衝突の可能性が低いいま、まさか外国が核ミサイルで攻撃することはないという油断があったかもしれない。核バッグが故障していたかどうか、その真相は解明できなかったが、いずれにしても平和な時代に勘違い(かんちが)いや誤作動で核戦争がはじまる危険性があることを、わたしは身にしみてわかった。

当時、ノルウェー・インシデントは日本ではまったくニュースにならなかった。無理もない話だ。というのも一九九五年一月一七日、ノルウェー・インシデントの八日まえに、阪神・淡路大震災が発生しているからである。犠牲者は六〇〇〇人を超え、当時、戦後の地震災害としては最大規模であった。ロシアの動向を注視する余裕がなかったのは、当然である。

バトゥーリン氏との出会い

バトゥーリン氏は一メートル九〇センチほどと大柄で、眼鏡の奥の眼光が鋭い。これまでも、かれの威圧感にわたしは萎縮し、ときには怯えてしまったことが多々ある。

たしかに物腰は紳士的で、言葉遣いも丁寧である。でも、わたしの質問に不信感をいだいたり、語気を強め、わたしの見解を否定したりする瞬間のかれの表情は、わたしにとってもはや恐怖でしかない。政権中枢で働くことがどんなに異常な緊張感を植えつけるのか、かれの形相から思い知ることになった。

わたしがバトゥーリン氏と知り合ったのは、一九八八年九月だった。モスクワ都心にあるソ連科学アカデミー「国家と法」研究所に留学したさい、かれは三〇代後半の新進気鋭の政治学者であった。とくに、ソ連国内の人権問題について研究していた。この問題をソ連で扱うのは勇気のいることであったが、当時、改革政策（ペレストロイカ）を推進するゴルバチョフ共産党書記長が研究所と深いつながりをもっていたことが大きかった。ゴルバチョフ氏の首席補佐官を務めたのが、研究所の重鎮、シャフナザーロフ氏であった。

ソ連邦の崩壊後、バトゥーリン氏がロシア大統領補佐官に就任したのは一九九三年、それから五年間務めることになった。

勘違いで恐るべき核戦争を起こしかねない国――。

そんなロシアの言動や約束を、わたしたちはどうして信じることができるだろうか。なんとなくきな臭くて、危うい雰囲気が漂うロシア、その内部でなにが起こっているのだろうか。次章からは、そのようなロシアの実態を、わたしの研究や経験を通して深く迫ってみたい。

第一章　暗殺社会ロシア

毒を盛られた

「ウォー……、ウォー……」といううめき声が響く。

「アレクセーイ、飲むんだ……、アレクセーイ、息をしろ」

ロシアで第二位の規模を誇る「S7航空」の乗客たちに戦慄が走った。機体は丸ごと黄緑に塗装されており、所々に旅行客やビジネス客のイラストが浮き上がるように描かれている。斬新なデザインとして注目されている機体の中で、いったいなにが起こったのか。

　機内の様子を映し出すユーチューブの動画では、ロシア反政府活動家のアレクセーイ・ナヴァーリヌィー氏が発したと思われる二度ばかりの「うめき声」が響き渡っている。

二〇二〇年八月二〇日、西シベリアのトームスク発モスクワ行きのS7航空二六一四便、現地時間で午前七時五五分発（日本時間は午前九時五五分）の飛行機に搭乗したナヴァーリヌィー氏は、離陸（八時一〇分）から二〇分後、「気分が悪く」なった。BBCモスクワ支局のニュースサイト（九月二日付）などによれば、トイレに駆け込んだ直後、意識不明の重体に陥ったようだ。

同伴していた広報担当の女性秘書キーラ・ヤールミィシュ氏の証言では、「かれは客室乗務員が差し出した水を断り、機体後方のトイレに駆け込んだ」。そして乗客がBBCモスクワ支局に知らせた話によれば、「かれは八時三〇分から五〇分までトイレに閉じこもり、順番を待つ乗客の列が通路にできた」という。

秘書ヤールミィシュ氏は、「どの時点でかれが意識を失ったかわからない」と困惑する。BBCモスクワ支局の報道では、ナヴァーリヌィー氏がトイレから出てきてから一〇分後のこと。男性乗客は「ちょうど九時だったと思います。『乗客のなかに医者はいますか。すぐにサポートしてください』と大声の緊急放送が流れた」と振り返っている。でも、医師が搭乗しておらず、一時間後に西シベリアのオームスク市の空港に緊急着陸した。ナヴァーリヌィー氏は後部座席に横たわり、ずっと客室乗務員が看護していたようである。

ただ、先のBBCのニュースでは、医療器具についての問題が提起されている。それによれば、ナヴァーリヌィー氏が搭乗していた機体の航空機内搭載救急キットに「スポイト」がなかったというのである。イギリス最大手の「ブリティッシュ・エアウェイズやロシアのナショナル・フラッグのアエロフロート航空などの大きな航空会社では、機内の医療器具のなかにスポイトが常備されている。しかしS7航空広報責任者からは、機内にはスポイトは『なかった』と返答があった」と記されている。

意識を失っている乗客に、顆粒状の頓服薬を服用させるのは不可能である。だから、液体化してスポイトで喉、または鼻から半ば強制的に投与するしかない。でも不思議なことに、この便にかぎってのことなのか、それともほかの便でも常備されていないのか、真相は不明であるが、当便にスポイトがなかったのは事実のようである。

オームスク市の空港に着陸したのは現地時間午前九時一分（トームスク時間では午前一〇時一分）。飛行時間は、一時間五一分であった。

すぐにオームスク市立第一救命救急病院に緊急搬送され、集中治療室で人工呼吸器がつけられた。ナヴァーリヌィー氏の女性秘書は、トームスク空港内のカフェーで飲み物に毒物が混ぜられた可能性を指摘し、「朝からほかの飲み物はなにも口にしていない」と訴えた。

ナヴァーリヌィー氏は、プーチン政権を批判する急先鋒としてロシア国内でもっとも著名な活動家である。

ロシアの民間世論調査団体「レヴァダ・センター」が二〇二〇年四月に実施した世論調査によれば、ナヴァーリヌィー氏を「自分たちのヒーロー」と考える回答者はプーチン氏についで多かった。

年齢別では、四〇歳~五四歳の回答者でトップにおどり出た。社会経済活動を支える世代に人気が高いのは、なぜなのか。

歴史的な要因が大きい。かれらは青春時代を、一九八〇年代半ばからのソ連社会の変革期（ゴルバチョフ政権下のペレストロイカ）に過ごした。この改革の過程で、ソ連共産党が消滅し、一九九一年末にソ連邦が崩壊した。そのまえの一九八九年一一月には、ベルリンの壁の崩壊に象徴される米ソ冷戦終結という歴史の大転換に立ち会った。

これらの変革は新生ロシアに結実するものの、まさに動乱の時代を一九九〇年代末まで生きた。現在の中年層はいまや二〇〇〇年以降、二〇年間も最高指導者に君臨するプーチン大統領さえ、安泰ではないことをよく知っているのである。というよりも、歴史は動くことを身をもって知っている世代なのだ。対照的なのは、二〇代～三〇代のプーチンの時代に育った若い世代と六〇代以上のソ連時代を過ごした年配者である。政治の安定化を最優先に考え、既存の秩序のなかに幸せを見いだす志向が強い。

補足すれば、二〇一四年にウクライナ領であったクリミア半島を、ロシアがいわば強制的に併合して以降、プーチン氏は八〇％近い信頼感を維持してきたが、先の世論調査結果では二八％に急落している。

毒裁国家ロシア

信頼感の低下に危機感をいだくプーチン政権が、ナヴァーリヌィー氏に毒を盛ったと示唆する報道が相次いだ。プーチン氏が直接指示したのかどうか、真相は不明だが、衝撃的なニュースとなって、ロシア国内だけではなく日本でも駆けめぐった。事件が起こった八月二〇日というその日付にも注目が集まった。スターリンの政敵だったトロツキーが暗殺されたのは一九四〇年八月二一日であり、一日の違いがあるものの、ロシア国内ではさまざまな憶測が飛び交った。

　アメリカ在住でロシア出身の化学者ヴィル・ミルザヤーノフ氏が二〇二〇年九月一〇日、ロシアで人気が高いラジオ局「エーホ・モスクワ（モスクワのこだま）」のインタビューで、ナヴァーリヌィー氏に用いられた薬品が兵器級と恐れられる「ノヴィチョーク」だと断言している。

「ナヴァーリヌィー氏の症状が、『ノヴィチョーク』によるものと似ているからです。イギリスに住むロシアの情報機関職員だったセルゲーイ・スクリパーリ氏に二〇一八年に使用されたとされる『ノヴィチョーク』A－234よりも強力なものだったと見られます。スクリパーリ氏の場合は、ゲル状の『ノヴィチョーク』が家の玄関ドアーのノブに塗られていました。『ノヴィチョーク』の製造は、ロシア国立研究所以外では無理です。世界で生産できるのは、ロシアだけです」

　じつはミルザヤーノフ氏は、ノヴィチョークの開発者の一人であった。この毒物はソ連時代の一九七〇年代前半に開発がはじまったが、実態については二〇年近く国家機密として隠されてきた。ソ連邦の崩壊直後の一九九二年、反ソ連体制派の科学者たちは、ノヴィチョークが化学兵器であることを告発しようと試みたが、失敗に終わったようだ。

その一人がミルザヤーノフ氏だったのである。

この毒物が世界に知れわたるようになったのは、先に述べたスクリパーリ氏の暗殺未遂事件であった。ノヴィチョークは無色透明で無臭、そしてVXガスの五〜八倍の威力があると推定されている。飲み物や衣服をとおして体内に取り込まれると、呼吸や心拍が停止するなど神経性の障害を引き起こす危険な毒物なのである。

ナヴァーリヌィー氏が収容されたオームスク市立第一救命救急病院の副院長は「毒物は発見されなかった」と明言したが、容態の安定後に搬送されたベルリンのシャリテー（ベルリン医科大学）の診断ではノヴィチョークの使用を裏づける証拠を得られたと発表された。ロシアとドイツで病因をめぐって真っ向から対立しているが、ナヴァーリヌィー氏は九月一四日には自力で呼吸できるまでに回復し、一命をとりとめた。

一〇月一日に発行されたドイツのシュピーゲル誌のインタビューで、ナヴァーリヌィー氏はこう明言している。

「ノヴィチョークの製造や使用を命じられるのは連邦保安庁（FSB）、対外情報庁、軍参謀本部情報総局のトップ三人だけです……かれらはプーチンの指示なしでは動けない。背後にプーチンがいるとしか考えられない」

毒殺の歴史

では、ノヴィチョークはこれまでどのように使われてきたのであろうか。

プーチン政権下で反政府活動家やジャーナリストたちが、不審な死を遂げる事態が相次いでいる。たしかに表現の自由は認められているが、発言のあとの身の安全は保証されていない。かれらの死因が特定されることもなく、たとえ容疑者の氏名が取り沙汰されても、逮捕、さらに立件されずに捜査が立ち消えになったりする。より正確に表現すれば、暗殺事件が話題になっても、つぎに同様の犯罪が繰り返される。人びとの関心も、移り変わっていく。

ここでプーチン政権の発足以降、毒物の使用が疑われている主要な殺人事件（未遂を含む）を、以下に記してみたい。

・FSBの汚職を追及したジャーナリストのユーリー・シェコチーヒン氏（二〇〇三年）

・チェチェン人への人権抑圧を告発したジャーナリストのアーンナ・ポリトコーフスカ

ヤ氏（二〇〇四年未遂、二年後に自宅アパートのエレベーター内で射殺）

・プーチン氏がＦＳＢ長官時代に職員であったアレクサーンドル・リトヴィネーンコ氏（二〇〇六年）

・野党指導者のヴラシーミル・カラー＝ムルザー氏（二〇一五年と一七年、ともに未遂）

・反政権派の演出家ピョートル・ヴェルジーロフ氏（二〇一八年未遂）

・市民運動家のニキータ・イサーエフ氏（二〇一九年）

・辛辣（しんらつ）な政権批判を展開するコメンテーターのドミートリー・ビィーコフ氏（二〇一九年）

特筆すべきは、二〇〇六年、当時四三歳であったリトヴィネーンコ氏の毒殺である。ロンドン市内のホテルのバーで毒物の入った飲み物（緑茶）を口にしてから数日後、嘔吐がはじまり、頭髪が抜けはじめる。死亡する前日になって、尿から放射性物質ポロニウム２１０が検出された。ロシアの元情報将校であったリトヴィネーンコ氏が、プーチン氏の指令を無視したことによる個人的な恨みが背景にあるといわれている。プーチン氏による復讐なのだろうか。

二〇〇四年のポリトコーフスカヤ氏の暗殺未遂事件も、衝撃的なニュースとなった。プーチン政権によるチェチェン戦争を批判した女性記者は、機内で出された紅茶を飲んで意識不明の重体になった。その後、病状は回復したものの、二年後にモスクワ市内のアパートで射殺された。

ソ連時代や権力闘争が激化したエリツィン時代にも、毒殺の疑惑がくすぶることはあったが、プーチン政権が発足した二〇〇〇年以降、目立って増えているように感じられる。射殺されるのは、稀なケースといえる。

毒物で神経が麻痺し、被害者は悶え苦しむことになる。一気に息の根を止めるというよりも、苦しめることに犯行者の執念がこめられているように思う。死に至らなかったとしても、毒を盛れば成功というわけだ。いわば「生かさず、殺さず」の瀕死の状態に追い込む。敵対者への警告や見せしめの意味もあるが、背景には「裏切り者は絶対に許さない」「復讐は名誉ある戦い」というロシアの伝統的な掟がある。プーチン政権下で続く事件は、まさに古いロシアの体質を継承している証なのである。

リトヴィネーンコ氏の場合、毒物が特定されたのは先に言及したように死の前日であり、発症から二三日間も生死の境をさまよった。痛みが強く、苦しみが大きく、たとえ生き残っても強い不安を一生かかえていくことになる。本人だけではなく、家族や友人、支援者に恐怖心を植えつけ、実行者を割り出そうという熱意をそぐのである。

ロシアでは昔から、政治的な陰謀や政敵への復讐のために毒が使用されてきた。古代ロシアでは、貴族が祝宴のテーブルで致死量を超える毒を盛られて召使いに看取られながら死ぬ場面が、絵画として残されている。

古来、植物由来の強い毒性をもつアルカロイド系の毒が用いられてきたが、中世に入ると、ヒ素化合物の使用が主流となった。下痢や筋肉の痙攣（けいれん）といったコレラと似た症状が見られ、二〇世紀はじめまで広く使用されていた。

ヒ素が「毒の王様」と形容されたのは、その中毒症状により相手を苦しめるのに効果があったからであろう。すぐに死に至らない毒物として、重宝されたのである。二〇世紀に入ると、政府機関が化学兵器の開発を進めるようになり、先のノヴィチョークもその流れで誕生した。

裏切り者への罰としての毒殺は、ふつう、ロシア人の間ではあまり驚かない雰囲気があるのだが、客観的には恐ろしい殺害行為である。

とくにプーチン政権はロシア愛国主義を前面に掲げており、その風潮のなかで裏切り者への復讐は年々、激しさを増している。「裏切り者の元スパイが毒殺された」というニュースを読んで、妙に興奮するロシア人がいるのも確かである。犯行が凶悪であるほど、ロシア人の愛国心がたぎる。つまり、毒殺はロシア愛国主義を鼓舞するための政治的な手段ともなっているのかもしれない。たんにロシア国歌を斉唱し、風になびくロシア国旗を見ながら愛国心を高揚させるのとは、大違いだ。恐怖心と背中合わせの愛国心といえる。

災難への誘惑

ここで、話をナヴァーリヌィー氏の毒殺未遂事件に戻そう。

かれは反政府集会を開催するたびに、治安当局に身柄を拘束されてきた。二〇一九年にも無許可の抗議デモを呼びかけたとして逮捕されたが、恐ろしいことに収監中に首の皮膚が真っ赤に変色し、額と目のまわりが腫れ上がり、片目が開けられなくなってしまった。異常なアレルギー反応に似た症状であったが、ナヴァーリヌィー氏はのちに頭髪を検査した結果、ベッドのシーツになんらかの毒物が塗られていたと訴えた。

それにしてもわたしが納得できないのは、ナヴァーリヌィー氏の言動である。プーチ

「プーチンの任期が延びている」ことを批判する反プーチン集会。右端は著者。

ン政権からたびたび警告を受けているにもかかわらず、いわば自分の命と引き換えに、果敢に反政府活動を強行しているからである。もちろん、かれなりの正義感があるのだろうが、今回も、ドイツでの治療のおかげで中毒症状が改善したからといって二〇二〇年九月一五日に「ロシアに帰国して、自分の仕事を続けたい」と秘書がかれの心情を代弁した。

ナヴァーリヌィー氏は翌年一月一七日に本当に帰国し、空港で身柄を拘束された。毒を盛るロシア人も信じられないが、毒を盛られるロシア人も信じられない。ロシア人というのは、加害者も被害者も信じられないということなのだろうか。

じつは、ナヴァーリヌィー氏には、反政府活動で身柄を拘束され身体的な被害を受けるたびに、一般市民からの寄付金が寄せられる。かれはブログを通じて情報発信をしているが、ブロガーのかれの身が危険にさらされ、悲惨な映像がインターネット上で拡散されると、反政府活動家を非難する声がある一方、気の毒に思うロシア人もいる。そして、さらに外国に亡命しているロシア人からの支援金も届けられる。二〇一九年の寄付金の総額は八二三〇万ルーブル（約一億六四六〇万円、一ルーブルを二円で換算）ほどに達したらしい。ナヴァーリヌィー氏は、まるで「反政府活動ビジネス」を展開しているという皮肉な見方もある。

ロシアには、社会や人生の闇にとても深い愛着をいだいている人たちがいる。その暗闇は心に影を落とし、一人ひとりの人生と切り離すことができないと考えている。他人の「苦しむ」「悶える」姿に容易に感情移入し、同情するのである。

ロシア人がそうなってしまう理由の一つは、長くて暗い厳しい冬を耐えているからである。ときにはマイナス四〇度に下がることがあり、冬至を挟んでの一カ月は、たとえばモスクワでも一日の日照時間は平均して一時間もない。暗くて寒い生活は、ロシア人たちの人生の半分を占めている。暗闇は、もはや生活の一部なのである。

もう一つの理由は、苦難の歴史にある。一三世紀から二四〇年も続いたタタール（モンゴル）の支配やナポレオン、そしてナチスドイツの侵略など、外敵の脅威にさらされてきた。まさに、暗黒の歴史を紡ぎ、戦禍に耐えた。国内に目を向けると、イヴァーン雷帝、ピョートル大帝、さらにはスターリンなどの残忍な支配者たちの抑圧や飢饉、飢餓に苦しめられた。昔からロシア人たちは、生死の狭間で生きてきたのである。

このようなロシアの諺がある。

「ツァーリ（皇帝）に近づくことは、死に近づくことだ」

身体的だけではなく精神的にも大きな負荷は、ロシア人の実直な思考や楽天的な性格を歪めてきた。

もちろんロシア人は、歴史的にはどんな困難に遭遇しても、奇跡的に克服してきた。また、ときには九死に一生を得たりもした。しかし、結果的に、かれらは心に深い傷を負ってきたのであった。

そんなロシア人が立ち直る最善の方法とは、「苦しみ」「苦痛」「苦悩」に真正面から向き合う過程でそれらに愛着をいだき、結果的に内面化することであった。これらの苦悶は心の襞に分け入り、もはやそれらの強い刺激がなければ、人生に物足りなさや退屈さ、寂しさを感じとってしまう。こうしてロシア人は、独特な精神性を育んできたのである。


国家にあらがったがゆえに、毒を盛られてしまうロシア人。

裏切り者の苦悶を見て、愛国心を高揚させるロシア人。

苦しみに魅了されるロシア人。

では、ほかにどんなロシア人がいるのだろうか。

わたしは四〇年間、ロシア（ソ連）の各地を訪ねてきた。一九八〇年八月に三週間、モスクワとレニングラード（現サンクトペテルブルク）に滞在したのを皮切りに、渡航回数は一〇〇回以上になり、四年間のモスクワ留学も経験した。

次章からは、そのときどきの刺激的な光景を回想し、できるだけ鮮明に再現し、ロシアの実像に迫ってみたい。

はたしてロシア人とは、どのような人間たちなのだろうか。

第二章　「ひたすら祈る」──魔窟からの脱出

古いロシアが生き続ける

毒殺など暗殺事件が頻発(ひんぱつ)するロシア……。

そんなロシアを舞台に、わたしはロシア人たちを睨みつけながら地団駄(じだんだ)を踏(ふ)んだ。二〇一四年一〇月一一日のモスクワのシェレメーチエヴォ空港での出来事だ。モスクワ郊外に位置する四つの主要空港のなかで最大級の規模を誇り、近代的な設備をもち躍進する国際空港である。ソ連時代の暗澹(あんたん)とした狭い空港とは、もはや大違い。色彩豊かな明るい空港ビルのなかで、まさかわたしが怒ったり悔しがったり、激しい感情をあらわにすることはないと思っていた。

その一方で、社会がどれほど進化しても、ロシアでは古い文化や価値観がとても根深く社会の基層として存続している。それらを改善するのは不可能であるどころか、むしろどんどん強化されているような気がする。だからどんなトラブルに巻き込まれても、なんとか冷静になって、自分の置かれている状況を把握しなければならない。「そうだ、ここはロシアなんだ」と。ロシア人に頼っても、埒が明かないのはわかっている。はたしてどのような結末になるか。もちろん、わたしに予期できるはずはない。

わたしは四〇年間、ロシア（ソ連）人とつきあってきた。いまから振り返っても、シェレメーチエヴォ空港で受けた衝撃は生涯、忘れられない。

ロシアの昔から変わらない無秩序に翻弄されながらも、わたしは自分の運命が試されているような気持ちになった。ロシアという国は、人間を追い詰めることで、精神力、もっといえばその人の運命を試すようなところがある。だれがそのような試練をあたえるのか。もちろん答えは不明なのだが、不思議ななにかが迫ってくるように思う。

もはや、日本で勉強してきた知識や論理はなんの役にも立たないどころか、問題解決にあたっては障害になるだけだ。無駄ではないが、ロシアではそれらを主張したり、自分の判断基準にしたりすると不幸になってしまう。

話を戻そう。

シェレメーチエヴォ空港に到着するまで、東シベリアの荒漠とした大地に広がるチタ市に一週間ほど滞在していた。その町での調査を終えて、空路七時間かけてシェレメーチエヴォ空港に戻ってきたのは午前八時ごろ。国内便で七時間ものフライト、ロシアの国土の広大さに驚いてしまう。五、六年まえ、わたしが日本国内を飛んでいる飛行機のフライトレーダーのサイトをモスクワの友人に見せると、驚愕(きょうがく)していた。

「なぜ、こんなに狭い国土にぎっしり飛行機が飛んでいるのか。電車で往来すれば十分ではないのか」

ロシア国内では、都市間の移動は基本的に飛行機が中心だ。シベリアではヘリコプターや一〇人乗りの小型機が、公共交通手段としてたくさん飛んでいる。

ここで、そもそもなぜ、わたしがシベリアの町を訪問したのか理由を説明しておこう。

東京とモスクワを結ぶ飛行機の窓から広がるシベリアは、高い山だけではなく、平原や森林が地平線までのび、長大な川がうねうねと流れる光景が続く。広大な自然は人間を寄せつけないような荒々しさを漂わせているが、ときどき不思議な光景に目が惹きつけられる。

もはや点でしかないのだが、眼下に二〇軒ほどの小さな集落がぽつりぽつりと点在しているのが見えるのだ。森林や山に囲まれているが、大きな池や沼、川がそばにある。ただ、そのなかにはいくら目を凝らしても、外界と結ぶ道路がない集落があるのに気づく。まわりの世界から完全に切り離されているようだ。

シベリアの奥深いところに、わたしたちと同じ人間が住んでいる。かれらはどのような日常生活をおくり、なにを考えているのだろうか。その謎(なぞ)に満ちた世界に飛び込んでみたくなり、シベリアへ旅行するようになった。チタ―市の訪問も、東シベリアの人びととの生活を調査するためだった。

最悪の事態、スーツケースの紛失

話の舞台を再びシェレメーチエヴォ空港に戻す。

チタ―市からの乗客一五〇人とともに、わたしは二個の手荷物を引き取るために、到着ロビーのターンテーブルの横で待機していた。わたしは深夜の狭い機内でかなり疲れており、まわりの乗客たちも同様に生気のないうんざりした表情を浮かべている。そうはいっても、とにかく無事にモスクワまでたどり着いたことにわたしはホッとしていた。

二〇分ほどが経過してから、急に〝ガランゴロン〟という音をたててテーブルがグルグルと回りはじめた。一時間以上も待つことが多いので、早いほうだ。

日本では手荷物といってもスーツケースが多いが、ロシアではその割合は全体の三〇%ほどと少なく、大きなボストンバッグや段ボール箱が目立つ。昔、ロシア人がこんなアドバイスをしてくれた。

「空港でスーツケースを預けるときには、鍵はかけないほうがいい。だれかがこじ開けたいと思えば、鍵は壊されてしまうから。旅行の途中でスーツケースが閉まらなくなるなんて、悲惨なことだ。だから、はじめからスーツケースを持ち運ばないのがいい」

ロシアでスーツケースの人気がない理由を知って、納得した。たしかにスーツケースが壊されて、なかの貴重品が盗まれる話はよく耳にする。困ったものだ。とはいっても便利なので、わたしはいつもスーツケースに鍵をかけないで使っている。「なにか抜き取りたいならば、どうぞご自由にお取りください。でも、鍵だけは壊さないで」といわんばかりに、開き直っている。

手荷物をターンテーブルで見つけた乗客がひとり去り、さらにまたひとり去る。無言で市内への出口に姿を消していく。わたしが周囲に目を向けると、手荷物を待つ乗客は二〇人ほどに減っており、一抹の不安がよぎる。

「もしかして、スーツケースが戻ってこないかも……」

ロシアではよく聞く話だが、ついにわたしもその憂き目にあうことになるのだろうか。心細くなってきた。わたしのまわりの乗客は、とうとう三人になった。そして、運命のときがやってきた。ターンテーブルがガタンという鈍い音を残して、停止してしまった。わたしの気持ちが折れた瞬間であり、その現実をすぐに受け入れられなかった。

「まさか……」

わたしも含めて、四人は動かなくなったテーブルをじっと見つめるばかりだ。互いにことばを交わす余裕もない。荷物を積んだ次のコンテナが飛行機からターミナルに到着する間、一時停止しただけかもしれない、とわたしは自らを励ます。再度、スタートするのではないかという期待、というよりもそうあってほしいという願望に近かった。しかし一〇分ほどが経過しても、ターンテーブルは動かない。乗客の一人が重い足取りで、ロビーの奥に開設されている「手荷物紛失受付カウンター」に向かった。

それでもわたしは待ち続けたが、一五分が過ぎた時点で覚悟を決めた。気持ちを引き締めて、カウンターをめざした。窓口では、四〇代後半とおぼしき女性が一人で、苦情に対応している。ほかの便の乗客を含めて一〇人が列に並び、その一人ひとりがしかめっ面で順番を待っている。わたしは一時間半ほど待って、ようやくカウンターの職員と話すことができた。

「チターからのアエロフロート便です。二つのスーツケースが届きません。これが、手荷物引換証です」

職員は引換証を手元に置き、こう返事した。

「ターミナルの別の場所に保管されているかもしれません。荷物に貼られているタグがなにかの原因ではがれてしまい、どのターンテーブルで返却すればよいのか、わからなくなっていることも考えられます。一時的に保管されている可能性がありますので、電話で問い合わせします。どんな色のスーツケースですか」

すこし期待できるかもしれない。わたしは、シルバー系と茶系のスーツケースであると回答した。職員は老眼鏡をかけると引換証に記されているタグ番号とスーツケースの色を電話口の相手に話している。三分ほど待つと、電話口から「見当たらない」という声が聞こえてきた。わたしは焦(あせ)って、すぐに質(ただ)した。

「引換証のタグ番号をインターネットに打ち込めば、スーツケースがどこに存在しているのか、すぐにわかるのではないですか」

「そのようなシステムは、ありません。ただロシア国内のすべての空港に、メーリングリストを使って照会できます。なんらかの返信があるかもしれません。あなたの氏名、便名、パスポート番号、そして携帯番号を書類に記入してください」

摩訶不思議の国

絶望的な事態となった。わたしの経験上、問い合わせのメールをすべての空港に送信したところで、空港職員たちがタグ番号を手がかりに探してくれるとは到底想像できない。たとえ身近な場所にスーツケースが放置されていても、確認しないに決まっている。

わたしが懸念（けねん）するのは、翌日の午後八時に日本への帰国の途につくことである。手荷物を探すのに、時間的な制約がある。とにかくスーツケースの所在をつきとめること、受領方法はそのあとに考えればよい。ただわたしには、そのありかについてわずかな心当たりがあった。もちろん確信はないのだが、職員にこう打ち明けてみる。

「じつはチターの空港の隣のチェックイン・カウンターで、モスクワのドモジェードヴォ空港行きの別の便の搭乗受付をしていました。手違いで、そちらに運ばれたのではな

わたしのスーツケースをモスクワ郊外の別の空港に運んだ旅客機。
信じられない事態が発生していた。

いでしょうか」

職員はわたしの話を聞きながら、昨夜のチター空港の離陸便をインターネットで調べてくれた。小さな空港なので、彼女はすぐに教えてくれた。

「たしかにあなたのアエロフロート便と同時刻にドモジェードヴォ行きのS7航空の飛行機が飛んでいます。でも、それだけではないのです。ほぼ同じ頃に、中国への航空機も離陸しています。もし中国に輸送されたならば、あなたのスーツケースを取り戻すことは不可能です」

カウンターの職員の説明によれば、万が一、中国に運ばれたスーツケースがチター市に戻されるにしても、そこからシェレメーチエヴォ空港に転送されることになる。わたしはすでに日本に帰国しており、モスクワで放置されることになるのだろうか。わたしは空港職員に、ドモジェードヴォ空港に照会してほしいと依頼した。

職員は空港に電話してくれているが、たらいまわしにあっている様子だ。何度もかけ直して、チターからのS7航空の手荷物を扱う到着カウンターにつながった。タグ番号とスーツケースの色を伝える職員の表情が少し明るくなり、受話器を片手にわたしに語りかけてくる。

一つの手荷物を発見できた

「二つのスーツケースのうちの茶系のものが、いまターンテーブルのうえをぐるぐる回っているそうです。安心してください。シェレメーチエヴォ空港に転送されてきます」

同じモスクワ郊外の空港のこと、わたしは当然、ドモジェードヴォ空港の職員が車で届けてくれるものと思い込んだ。でも、彼女の説明は違う。

「ドモジェードヴォ空港から直接、ここに運ばれることはありません。S7機でサンクトペテルブルク空港に一旦輸送され、そこからアエロフロート機で届けられます。なぜなら、ドモジェードヴォ空港とシェレメーチエヴォ空港の間には、S7機もアエロフロート機も飛んでいないからです。でも、いつ発送されるのか、それはまったくわかりません。航空機の貨物室に空きスペースがあるときに限られます。もちろん、サンクトペテルブルクからシェレメーチエヴォ空港に輸送されるときも、同じように空きスペースがないとダメです」

わたしは彼女の説明を遮るように、声を荒らげてしまった。

「あなたは冗談をいっているのですか。わたしは明日の夜、東京便に搭乗します。わたしが帰国したあとにシェレメーチエヴォ空港に到着したスーツケースは、いったいどうなりますか。わたしは、すでにモスクワにいないのです」

「アエロフロート便で成田に運ばれます。貨物室に空きスペースがあるのが条件です」

彼女の説明を聞いていると、わたしのスーツケースはもはや戻ってこないに等しいと感じた。わたしは卒倒しそうになった。これが、ロシアの不躾な現実なのだ。ロシアがどんなに近代化されようとも、どんなに広範にグローバル化しようとも、昔から変わらない現実がわたしの目の前に立ちはだかっている。

シェレメーチエヴォ空港とドモジェードヴォ空港は、モスクワの都心をはさんで南北に位置している。直線距離で約七〇キロと遠い。わたしは「アエロフロート航空の社員に車で届けさせてほしい」と懇願したが、空港職員は拒否した。というのも、スーツケースを間違って搭載したのはチターの空港職員だからという。

本章の冒頭で書いた「わたしが地団駄を踏んだ」瞬間である。ロシア人を信頼できないので、わたしは直接、ドモジェードヴォ空港にスーツケースを取りに行くことに決めた。

ところで、もう一個のスーツケースの所在は依然として不明である。空港職員にチターの空港に電話で確認してもらったが、まったく応答がないらしい。電話がつながるのを待っていても時間が無駄に過ぎるばかり。わたしは職員に携帯番号を記したメモを渡し、なにか情報が入ればすぐに連絡してくれるように依頼した。

機内で徹夜したので、ドモジェードヴォ空港とホテルへはタクシーを使うことにした。空港ビルの出口でタクシーの運転手と交渉して二万ルーブル（約四万円）を支払うことになった。だれも弁償してくれないので、自腹である。都心を縦断するルートのため渋滞に巻き込まれてしまい、ドモジェードヴォ空港に着くのに三時間を要した。

空港の一階にある到着ロビーに入り、スーツケースの受け取り先を尋ねることからはじめる。だが、事情がよく理解できない男性職員は、手荷物受取所は制限エリアなので、立ち入ることはできないと言い放つ。でもわたしの事情に耳を傾けてから、一言。

「なぜ、搭乗していなかった飛行機で、あなたのスーツケースが運ばれてくることになったのですか。とても奇妙な話です」

明らかに、わたしに疑惑の目を向けている。不思議だと思っているのは空港職員だけではなく、わたしも真相を知りたいところである。

この空港では二〇一一年一月二四日、国際線の到着ロビーで爆破事件が発生し、三七人が犠牲となった。このために、いまでも警備は厳重だ。

職員はわたしを空港事務所に案内し、パスポートや手荷物引換証の提示を求めた。保安検査を受けてから、職員に先導されて荷物の保管場所に行くことができた。そこには一〇〇個ほどの荷物が雑然と並んでおり、まるでゴミ捨て場の様相を呈している。ようやくわたしは自分のスーツケースと再会することができた。ターンテーブルに放置されていたが、この保管場所に移されていたのである。

そのときであった。わたしの携帯が鳴り響いた。未登録の電話番号が表示されており、緊張が走った。声を聞くと、先のシェレメーチエヴォ空港の職員からだ。

「あなたのもう一個のスーツケースを発見しました。チターの空港にあります。あなたのスーツケースだけが、飛行機に積み忘れられたようです。明日の午前八時三〇分にシェレメーチエヴォ空港に到着する便で運ばれてきます。あなたのきょうのアエロフロート便です。取りにきてください」

最後は祈るのみ

はずんだ声が響く。ドモジェードヴォ空港でスーツケースを発見すると同時に、もう一個の連絡が入るのもロシアらしい数奇な運命といえる。先ほどまで悲嘆にくれていたのに、いまでは歓喜に震える自分に、もう一人の自分があきれ返っているような気がする。ロシア的な無責任さに翻弄され、なにか勝手に自分の運命が試されているような錯覚に陥ったわたしであったが、すぐに正気に戻った。ようやく、トラブル解決の突破口が見えてきたのだ。

でも、油断はできない。明日の夜、わたしは帰国することになっているが、チターからの便が、遅延することなくモスクワに到着するだろうか。悪天候で、欠航になるかもしれない。

でも、そのようなことを想像しても、どうにもならない。もっと現実的な最悪の事態を考えることにした。わたしは心のなかで自問自答し、呆然（ぼうぜん）とした。

「再び、わたしのスーツケースが飛行機に積み忘れられるかもしれない。だれが、責任をもって積んでくれるのか。貨物室に空きスペースがないことを理由に、運ばれないかもしれない」

スーツケースを、わたしははたして日本に持ち帰ることができるのだろうか。電話口の女性職員にその不安を告げると、彼女はなぜか意気揚々と、わたしをこうなだめた。

「ここは日本ではありません。ロシアですので、明日、なにが起こるのか、だれも予想できません。あなたが明日のことを心配するなんて、わたしには驚きです」

「では、わたしはどうすればよいのですか」

「いまあなたができることは、ひたすら祈ることとです」

わたしはその日、シェレメーチエヴォ空港近くのホテルに宿泊することになっていた。わたしがドモジェードヴォ空港で手にしたスーツケースを持ってホテルに着いたのは、夕方の六時を回っていた。チタ一市からモスクワに到着してから、一〇時間が経過していた。

それにしても、この魔窟（まくつ）のようなロシアに対して、わたしはなにをどのように祈ったらよいのだろうか。

第三章　倒錯する日常生活

空回りのロシア

どんよりと曇った寒空のモスクワ市……。

二〇一三年三月八日のことである。三月は、一年中でもっとも不快な時期だ。真冬に路面を覆っていた雪が溶けはじめ、雪に代わって雨が降り出す。車道も歩道もぬかるみ、長靴が泥水でひどく汚れてしまう。防水が不完全だと、水が靴のなかに染みて、靴下がびっしょり濡れてしまう。足が冷えて、もう最悪だ。

ロシア人の友人の父親から、こんなアドバイスをもらったことがある。

「人間の身体で大切なのは、喉と足です。遠いようでいて、じつは密接な関係があるんです。喉を温める（酒を飲む）と、足がふらつく。足を冷やすと、喉が熱くなる」

つまり、足を冷やすと、風邪をひき、熱が出るという戒めだ。

その日、わたしはモスクワ都心をぐるりと囲む地下鉄環状線の「オクチャーブリスカヤ駅」で下車し、徒歩で五分の停留所から、路面電車「第二六番　地下鉄大学駅行き」に乗った。

わたしが本格的にロシア（当時はソ連）研究をはじめるために留学していた一九八〇年代後半、頻繁に乗っていた路線だ。オクチャーブリスカヤ駅は、クレムリンのそばを流れるモスクワ川を挟んだ南の地区にあり、帝政ロシア時代の貴族の屋敷が保存された閑静な街並みは、わたしがもっとも気に入っているところだ。

路面電車は南西方向にのびるシャーボロフカ通りに沿って、ガタンゴトンと低い音を響かせながら動きだした。外気温は七度ほどで、車内には一〇人ほどが座っていた。

車窓から「ウダールニッツァ工場」が見えてきた。

ソ連時代の一九二九年に設立された菓子製造会社で、甘いフワフワした食感の「ゼフィール」が有名だ。元となった菓子は中世ロシアの一五世紀に作られたといわれており、光沢のある美しい白色を際立たせるために卵白が使用されている。伝統菓子として、いまでもロシア人に好まれている。

停留所の「ウダールニッツァ工場」が近づくと、電車は減速をはじめた。すると、進行方向にむかって右側に座るわたしの視界に、ポツリと立っている初老の男性の貧相な姿が入ってきた。グレーのツイード生地の外套に身を包み、右手には一本の真っ赤なバラを、トゲのない茎の下の方をつまんでもっている。ビニールや新聞紙に包まれておらず、花びらの艶やかな赤色が残雪が広がるモノトーンの寒々しい街角に映える。

電車がキーキーとブレーキ音を響かせながら乱暴に止まると、かれは冷気とともに乗り込んできた。すぐに四〇代くらいの小太りの女性運転手に駆け寄り、かすれた声で尋ねる。電車は止まったままだ。

「ワシは、ガールフレンドのアパートにお祝いに行きたいのだが、どこの停留所で降りたらよいかな……」

「彼女の住所は、どこなの」

運転手は丁寧な口調で、男性に問いただす。背中を向けている男性の表情はわたしには見えないが、かれの当惑気味の返答が静寂な車内に響く。

「あなたは、彼女の住所を知っているはずだよ」

運転手は突然、わたしたち乗客の方を振り向き、声を荒らげて、自分への同調を求めているかのようにいった。

「なんで、わたしが知っているのよ」

憤慨した声がこだまする。でも、乗客のだれ一人として運転手が狼狽する声に応えようとしない。耳に入らないように無反応で、聞こえない振りをしている。まして困った男性に声をかける人もいない。乗客は、行き交う車が撥ね上げる泥水で汚れた窓から外界に虚ろな目を向けるだけで、知らんふりを決め込んでいるかのようだ。

なんだ、このバカバカしい会話は……。

目の前で繰り広げられる意味不明のやり取りに、わたしはあきれ返ってしまった。気まずい雰囲気というよりも、車内の天井にぽっかりと穴が空き、そこから男性と運転手の発することばが粒々になって外に飛び出してしまった感じだ。まるで間抜けな男性には、居場所がないかのようだ。

その男性と運転手との嚙み合わない会話は、よくある光景なのだろうか。わずかな間があって、男性は運転手に意外なことばを口にする。

「親切な対応に、心からお礼を申し上げます」

男性乗客と女性運転手の不思議な会話が交わされた路面電車。

わたしは、ロシアが余計にわからなくなった。プーチン政権を批判する活動家が毒殺されたという恐怖に震えるニュースが飛び込んできたかと思えば、捉えどころのない結末の不明な虚しい会話が交わされる。

老人は、運転手のどこに親切心を感じとったのだろうか。それとも、皮肉を込めていい残したのだろうか。かれはもともとガールフレンドの住所を知らなかったのか、尋ねられて急に思い出せなかったのか、わたしには本当のことはわからない。かれは見たかぎり、酔っ払っている足取りでも、認知症を患っている目つきでもない。ごくふつうの老人のようである。

男性は路面電車から降りると、ドアーは、

ガシャン！　ガシャン！　と凄（すさ）まじい音を立てて閉じた。奇妙な乗客にからまれてしまった運転手の怒りが伝わってきそうな乱暴な音だ。停留所に降り立った男性は視線を左右に向けて、自分の立っている場所と方向を確認し、路面電車と同じ進行方向にゆっくり歩き出した。かれは、住所を思い出したのであろうか。大丈夫なのだろうか。

わたしは偶然に、まるで帝政時代の昔から今にいたって、そして将来も変わることのないロシアの不条理な原風景に遭遇してしまったような気になった。一九世紀のロシアの文豪たちも、こんなミステリアスな光景を目の当たりにしていたことだろう。

一見、とんでもなく不可解に思えるが、わたしは異形であり不変なロシアに直面することになった。

じつは、この日は「国際女性デー」だった。

この日、ロシアの多くの家庭では夫が料理を振る舞い、妻や母親への「日頃の悪態」におわびの気持ちを込めてもてなそうと考えている。つまり、罪滅ぼしの日というわけだ。職場でも、前日に男性たちが同僚の女性に花束やプレゼントを贈る習慣が続いている。

この国際女性デーは日本ではあまり馴染みがないが、一九〇八年にニューヨークで女性たちが参政権などを要求したデモに由来するといわれている。

数字が無意味でめちゃくちゃ

わたしは路面電車を降りて、二〇年来の友人ドミートリーの住むアパートを訪問した。アパートは四〇年まえに建てられた一二階建てだ。外壁の塗装が所々剝がれており、コンクリートがむき出し。鉄筋のサビがにじみだしているところも目立つ。経年劣化というよりも、ソ連時代の典型的な手抜き工事が原因なのかもしれない。

友人のアパートを訪れて驚くのは、エレベーターのかごのなかにある「行先階ボタン」の配列がめちゃくちゃなことだ。まさに、この光景もロシアのもともとの姿なのだ。パネルには白色のプラスチック製のボタンが縦二列に並び、表面に黒色で数字が記されているが、一階ボタンが左下にあれば、二階は右上、三階は真ん中あたりに配置されている。奇妙にも、ドミートリーの住む九階ボタンは、見当たらないのだ。いたずらなのか、タバコの火で階数が真っ黒に焦がされているところがあり、それが九階なのである。わたしは三年前にも訪れているので、九階ボタンを知っているが、はじめてアパー

行先階ボタンの配列に驚いたパネルは、交換されたが、
2020年の現状も悲惨だ。

トにきた人ならば、きっと困るに違いない。

さらに、もっと驚くべきは三年間も取り替えられていないというのだ。放置されたままでも、確かに日常生活で支障が生じることはないのかもしれない。

わたしたちの常識でいえば、行き先の階数は低層から高層にむけて整列しているものである。この秩序感覚は、もはやロシアでは通じない。逆にいえば、数字の並び方で不満をすぐにいだいてしまう神経質な自分に嫌気がさしてしまうほどだ。それにしても、反体制派を殺害できる高度な毒薬を製造できる技術があるのだから、エレベーターのボタンくらいどうにかなるだろうと思ってしまう。

四〇歳のドミートリーは失業中で、教員の妻ラリーサと母親の年金に頼る毎日である。

この訪問の翌年、二〇一四年にロシアがウクライナ領のクリミアを併合したことに端を発し、欧米諸国はプーチン政権に反発。ロシアに対する経済制裁は拡大する一方で、大企業を中心に経営難に陥るケースが続出し、毎月のように銀行が営業停止に追い込まれている。

わたしが二〇一八年三月のロシア大統領選の直前に、モスクワ市の都心で街頭インタビューをしたさい、女子学生はこう率直に語った。

「大学で専門知識を取得しても、就職先がない。スーパーの店員になるしかなく、プーチン大統領の再選には反対です。ソ連時代を過ごした母は当時、失業はなかったと回想し、いまの若者たちは不幸な時代に生きていると同情してくれています」

ロシアの統計によれば、失業者は若者に多く、二〇一七年九月時点で、二〇歳から二四歳までの失業率は一三・九%、一五歳から一九歳にいたっては二五・七%に達する。

プーチン政権が発足してから二〇二〇年で丸二〇年にもなるが、すでに指摘したように反政府活動家が逮捕されたり、毒殺されたりし、辛辣に社会批判を繰り広げる二五〇人のジャーナリストが不審死を遂げているという情報もある。

ドミートリーとラリーサの夫妻は、そのようなプーチン政権に不信感を募らせているが、かれらはこう本音を明かした。

「わたしたちの大統領は、自分に刃向かう奴らを平気で殺すんだよね。すごい政治家だ。こんな指導者がいるのは、世界中でもロシアだけだよ。ロシアは、やはり強国だね」

わたしの解釈では、かれのいう「強国」はかぎりなく「恐国」に近いニュアンスに思えた。

ロシア人のいないところが「いいところ」

話を二〇一三年に戻そう。

ドミートリーとラリーサは玄関口でわたしを迎え、ダイニングに案内してくれた。テーブルのうえは祝日にふさわしく、バラが五本飾られている。ドミートリーが前日に買ったものだそうだ。テーブルには他に、二つのサラダ・ボウルとウオッカの瓶が並べられている。

　サラダの一つは、一九世紀半ば以来のロシア伝統のオリーヴィエ・サラダ（ソ連時代はストリーチヌィ・サラダと称された）だ。鶏の胸肉にゆで卵、キュウリのピクルスなどに古い製法で作られたマヨネーズをたっぷりからませている。日本では意外に知られていないが、マヨネーズはロシアが誇る名品だ。

　もう一つのサラダは、これもロシアの伝統料理、ヴィネグレト・サラダだ。ビーツをベースにジャガイモ、ニンジン、ピクルスなどをサイコロ状にカットしてあえたもので、ビーツが放つ赤色が食欲を搔き立てる。これらのサラダといっしょに黒パンを食べるのが、ふつうのロシア人家庭でのお祝いのメニューだ。

　ただ、ドミートリーの家庭では、富裕な家のようにキャビアが食卓に並ぶようなことはない。かれは申し訳なさそうに、キャビアに代わって黒パンに塩を軽くふるようにすすめる。キャビアの塩味を食塩で代用するようにという配慮なのだ。もちろん、黒パンにバターを分厚く塗ってもよいと気を回す。

　国際女性デーなので、夫人のラリーサにお祝いのことばをかけて、ウオッカで乾杯した。ロシアでは一般的に、ウオッカは小さなグラス「リュームカ」に入れて、一気に飲み干す。

乾杯が終わったあと、わたしはドミートリー夫婦に路面電車の出来事を語り、ロシアの摩訶不思議を尋ねた。二人は目配せをしてから、にっこりと微笑む。そして、ラリーサはことばを紡ぐ。

「ロシアは、予見できない国です。予想だにしなかった不思議なことが突然起きたり、ときには他人の悪意による行いで、生活が歪められたりします。思い通りにいかないことばかりで、他人への期待はいとも簡単に裏切られてしまいます。だから、ロシアでは、あなたはびっくりしたり、失望したりすることばかりに見舞われます。そのため、逆にいえば、人間の倫理や善意を問う文学や哲学思想が多くなるのです」

ロシア人たちは、絶望的な社会で生きているのだろうか。どんな気持ちで暮らしているのだろうか。ドミートリーは、苦笑いしながら、こう言い放った。

「結局、わたしたち（ロシア人）のいないところが、いい場所なのです（Хорошо там, где нас нет)」

こう豪語してニヤリと笑う友人。唐突に飛びだした自虐ネタに、わたしは言葉を失った。

「そこまで自己否定するなんて……」

体重八〇キロをこえる身体を揺すりながら低音を響かせる友人を、わたしはただ見つめるしかなかった。

モスクワ市のほぼ中心に住んでいるのに、ロシア人がいない、まるでシベリアの辺境の地の暮らしに憧(あこが)れているかのような発言だ。将来への希望を見いだせないような嘆(なげ)きにも聞こえる。先の路面電車のなかの無意味なやりとりのように、結末を見ないままに会話がピタリと止まってしまった。友人はロシア人を否定することで、わたしからロシアの肯定的な側面を引き出したかったのであろうか。

じつはドミートリーが発した「わたしたちのいないところが、いい場所」は、ロシアの劇作家アレクサーンドル・グリボエードフ（一七九五～一八二九年）のフレーズである。

一八二四年に書き上げた戯曲『知恵の悲しみ』の一場面で、主人公のチャーツキイが一八二〇年代の絶望的なモスクワを悲嘆した。

三年ぶりに外遊から帰国した主人公は、モスクワの恋人ソフィヤを訪ねる。彼女のフアームソフ家で繰り広げられる舞踏会。官僚社会の典型的な因習と愚昧を醸し出す貴族たちの時代錯誤の言動に肝をつぶす。

尊大と追従を非難するものの、逆にチャーツキイは狂人扱いされてしまう。前近代的な農奴制を痛烈に批判する風刺に富んだ喜劇である。作品は厳しい検閲に引っかかり、グリボエードフの死後、三三年が経過してから出版された。いまから考えると、作者が毒殺されなかったのは幸運だったといえる（最後はペルシャで暴徒に襲われ殺害されたが……）。

その日、妻のラリーサは、興味深い話を教えてくれた。

外国に留学している元生徒が夏休みにモスクワに帰省した折、学校に会いにきてくれたという。外国暮らしがどんなにすばらしいかを、元生徒がラリーサにまくし立てたときのエピソードだ。その女性から話を聞いたラリーサはつい、次のような本音を吐いてしまった。

「外国に移住したロシア人で、後悔した人はいないでしょう」

現在、ロシア国籍を有し外国に住む人は約二五〇〇万人に達する。ビジネスだけではなく、外国の大学で学ぶ若者も含まれている。

路面電車で遭遇したロシア人同士の嚙み合わない会話、そしてエレベーター内のバラバラに並ぶ行先階ボタン。でも、そんなロシアをロシア人は結構、気に入っているのではないだろうか。ラリーサの元生徒への返答にしても、率直であるがゆえに、祖国への愛おしさが伝わってくるからである。

第四章　決して信じるな——ロシア人は嘘八百

騙されやすい人を狙え

ロシア大統領の執務室が設けられているモスクワ・クレムリン……。城塞に囲まれたロシア政治の中枢を望む一等地。そこに、カフェーの「ドクトル・ジバゴ」がある。このカフェーに隣接するホテルに宿泊していたわたしは二〇一九年二月七日、友人ミハイールとの再会を楽しみにしていた。かれは、モスクワ市内の元ソ連共産党地区委員会の幹部であった。

「ドクトル・ジバゴ」という店名は、ソ連の作家ボリース・パステルナークが一九五七年に出版した小説のタイトルに由来する。一九一七年のロシア革命後に揺れる社会を舞台に、医師のジバゴと恋人ラーラの波乱万丈な人生を描いた。

店内はソ連社会を想起させる赤色を基調にしたインテリアが目を引く。若いウエートレスたちがひなびた感じのグレーのユニホームを着ているのは、真っ赤な口紅を強調するための工夫なのだろうか。壁には、ソ連社会主義建設に勤しむ模範的な労働者の勇姿を描いた絵画がかけられている。

いまや空調設備のおかげで快適なオフィスビルでパソコンに向かうサラリーマンとは対照的な勇ましい労働者の姿だ。ソ連時代の労働者といえば、機械油が染み込み、所々に穴があいた作業着に身を包み、ヘルメットをしっかり被り、額は汗でテカっているイメージだ。

カフェーのテーブルは満席で、ソ連帝国の栄華を懐かしがる客たちの熱気が充満している。ソ連を盟主とする共産主義陣営と欧米諸国が結束する自由主義陣営が対峙する「東西冷戦」は、軍事だけではなく貿易、旅行、文化とスポーツにまで及んだ。アメリカと張り合ったソ連は結果的に敗北したが、ロシアでは往年の超大国が放つ栄光に浸る人びとが増加している。モスクワ都心ではソ連スタイルのカフェーやレストランが人気で、少なくとも一五軒を数える。

その日、わたしは、ミハイールと「ドクトル・ジバゴ」で久しぶりに軽めの昼食をとる約束をしていた。真っ白なテーブルクロスが敷かれたテーブルを挟んで、ミハイールはシベリア名物のペリメーニ（羊肉などの水餃子）を口に運びながら、ロシア人の本性をほのめかす。

ミハイールはいうのだ。

「相手を信じやすく、騙されやすい人は、すぐにロシア人の恰好の的となり、騙されてしまう。このタイプの人間には、嘘の約束をするのが一番だ。逆に、頑なに相手の要求を拒否する人よりもずっと扱いやすい。だって嘘だとわかっても、相手は『そんなはずはない。なにかの誤解でしょう』と勝手に信じ込んでくれるからね。だから、ロシア人はどんどん嘘の約束を重ねていけばいいだけのこと。実際には何も実行しなくてすむし、失うものはないので、こんな楽な相手はいない」

嘘に嘘を重ねるのがロシア流

わたしとミハイールはそのとき、北方領土交渉の行方について会話していた。領土問題の詳しい経緯を知らない友人は当初、歴史の複雑さのあまり、頭を抱えてしまった。かれは一息ついてから姿勢を正し、わたしの方に身を乗り出していったのが、先の一言だった。日本は、ソ連、そしてロシアに騙されているのだろうか。

嘘の約束を繰り返すやり方が、ロシア人の交渉術といわんばかりに得意気な表情をミハイールは見せる。わたしは、ロシア人の毒性に触れたように感じた。交渉には相手がおり、問題解決にむけて互いに真っ向から冷静に話し合っても、そう簡単に埒が明かないものだ。だから、まずは相手を油断させるために嘘の約束を交わす。その内容が相手にとって、不利なものにならないのがコツのようだ。

こうして交渉の主導権を、秘かに握る。そうはいっても嘘はばれるわけで、多くの場合、相手は激昂（げっこう）し、冷静さを喪失する。でもお人好しの人間は、「そんなはずはない」と相手の本心を探ろうと、積極的に関わってくる。その場合、さらに新しい嘘をつけば、相手はホッと安心する。安心させるために、さらなる嘘を重ねていく。まさにロシア人に毒を盛られるのである。

どんなにお人好しといっても、最後には不信感を抱き、交渉への熱意を消失させるはずだ。しかし、ロシア人は嘘がばれてしまっても「悪いのは嘘をついた自分たちではない。気づいた相手に非がある」と開き直る。ロシアの流儀は、交渉のはじめに嘘をついておく、つまり、嘘から交渉をスタートさせるというものだ。

領土問題という悲劇

このような狡猾な交渉術を駆使する相手に、懸案の北方領土問題に立ち向かわねばならない日本の現実と悲劇……。

ロシアは日本と国境を接する隣国であり、領土問題の交渉は不可避である。相手のことが信用できないからといって、わたしたちが別の地域に引っ越すわけにもいかない。ロシアに代わってまともな人たちを隣国に据えたいと願っても、ロシア人は「たしかに自分たちがいないところがいいところだ」と一笑にふすだけだ。

ロシアは、本当に罪深い国なのだ。

四島一括返還が本筋

それにしても領土交渉が進展しているのかどうか、いっこうに定かでない。

わたしのいう「進展」とは、ロシアが北方領土を返還する流れのことだ。ただ島の返還といっても、「二島」でも「二島+α」でもない。わたしにとっては「四島返還」であり、「領土問題の解決」というのは四島の一括返還を意味している。

ロシア政府と交渉した結果、両国の「引き分け」になったという結末も、わたしたちにはあり得ない。ロシアの勝利と同じだからである。この問題でロシアにとっての「引き分け」とは、「真剣に議論したけれども、妥協点を見出すことができなかった」という結果だ。

だが、これはロシアによる実効支配を確定させることであり、現状の追認に等しい。ロシア政府は、北方領土に暮らす自国民を移住させる法律を制定する手間も不要である。きっとロシア政府の高官から、日本との領土交渉の決着について「とても残念な結果になった。本気で領土問題を解決しようと思ったのに……」という感慨深い偽りの言葉を聞くことになるのだろう。

歴史を振り返れば、ソ連が北方領土を侵略し、法的な根拠がない占拠がすでに七五年ほども続いている。

一九四五年八月一八日、ソ連軍が千島列島への攻撃を開始した。そして、九月五日までには北方領土も占領されてしまった。この軍事作戦は明快な史実である。にもかかわらず、今日まで紆余曲折した外交交渉になってしまっている。

返還が可能なタイミングはあったのか

将来、四島が本当に返還されることがあるのだろうか。過去に遡っても、交渉が日本側に有利に進み、たとえ一島でも奪還できる瞬間があったのだろうか。

ざっくりと日露交渉をたどれば、一九五六年の日ソ共同宣言に「平和条約締結後に歯舞群島と色丹島を日本に引き渡す」と明記し、両国が宣言に署名、批准した。ただ平和条約締結後、どのくらいの期間で二島が返還されるのか、規定はない。プーチン氏は近年、「引き渡す」という意味について「主権を引き渡すとは記されていない」と難癖をつけてきた。

日ソ共同宣言から四年後の一九六〇年、ソ連側は日米安保条約の改定を理由に、領土返還を棚上げにすると一方的に宣告した。領土返還が頓挫したのは、日本の責任だと決めつけてきた。

その後、四〇年にわたって膠着状態が続いた。少し変化が生じたのは、ソ連邦の崩壊後であった。一九九三年、エリツィン・ロシア大統領と細川護熙首相は、四島の帰属問題を「法と正義の原則を基礎として解決する」とした東京宣言を発表。九七年のクラスノヤールスク合意では、橋本龍太郎首相とエリツィン大統領は、先の「東京宣言に基づき、二〇〇〇年までに平和条約を締結できるように全力を尽くす」ことで合意した。日本国内では三年以内に平和条約が締結され、島が返還される歓迎ムードで賑わった。

この動きを加速化するために一九九八年の川奈会談で、橋本首相は踏み込んだ。ロシア側に、「四島の北側に国境線を引き、施政は当面ロシアに委ねる」という大胆な妥協策を提案し、エリツィン氏は前向きに検討することを約束したと報じられた。でも、ロシア側は、日本の提案をどの程度真剣に考えたのだろうか。本当のところは、まったく不明であった。日本はたんに、ロシア側の嘘に引きずり回されただけではないのだろうか。

ロシアは当時、日本からの経済支援がどうしても必要な局面にあった。ロシア経済の急速な悪化（事実上のデフォルト）で、エリツィン政権は一九九九年末、退陣することになった。そこで後継者として指名されたのがプーチン氏であり、二〇〇〇年五月、正式にロシア大統領に就任した。

日露間には依然として、喉に刺さったトゲのように北方領土問題がくすぶり続けている。暗澹たる思いが戦後から続くなかで、二〇一六年五月にロシア南部のソチで開催された安倍晋三首相とプーチン大統領の会談は近年では珍しく、北方領土返還にむけて盛り上がった。両首脳は長年の懸案に「新しいアプローチ」で解決の糸口を見つけることで合意したというのだ。

安倍首相も「この問題を二人で解決していこう。未来志向の日露関係を構築するなかで解決していくことで一致しました」と明るい見通しを語った。硬直した領土問題に突破口を開くと期待感が高まった。

当時のことを思い起こせば、「新しい」という文言に一条の光がさしたように感じられ、期待感が膨らんだ。ただ、「新しいアプローチ」の具体的な内容については、安倍首相の口からなんら明かされることはなかった。

とはいえ、実態としては領土問題の見通しは不透明なままで、日露経済協力の新しい枠組みが提起された。ロシア全土を対象としたエネルギーや医療、さらにはシベリア極東の開発などの八項目、総額三〇〇〇億円に及ぶ過去最大規模となった。この経済協力を両政府が主導し、民間企業に働きかけることになった。

まさか、「新しいアプローチ」とは、領土問題を棚上げにして、ロシアが日本からの経済協力だけを引き出そうという魂胆にすぎないのだろうか。プーチン政権が狙っているのは経済協力であり、そもそも領土交渉なんて、どうでもよいことなのだろうか。もしそうだとすれば、いくら経済協力を拡大しても、領土問題解決にむけて前進することはない。経済協力の成果は上がったが、領土は日本からどんどん遠くに去り、領土問題そのものが消滅することになるのではないだろうか。領土交渉というニンジンを目の前にぶら下げておいて、経済協力を引き出す。プーチン政権はまるで、日本を銀行のATMのように思っているのかもしれない。「リョウド」というパスワードを打ち込めば、日本からいくらでもお金を引き出すことができる。

プーチンへの「接待外交」

さらに二〇一六年一二月、プーチン氏が山口県長門市を訪問するというので、北方四島、少なくとも二島が先行して返還される可能性が大々的に報じられた。「二島が先に返還され、そのあとにもう二島返還が現実的な解決策だ」という楽観論が飛び交った。日本国内での期待感が増せば増すほど、プーチン氏の発言に大きな関心が集まった。北方領土を不法に占拠している国の最高指導者なのに、日本はまるでプーチン氏を善意のヒーローのように歓迎した。

しかし、両国首脳で合意されたのは北方領土を対象とした「共同経済活動」に関する提案だった。完全な肩透(かたす)かしになった。同年五月の首脳会談で取り交わされた経済協力がロシア本土を対象としたのに対して、今度は北方領土への日本からの経済協力を求めるものであった。とはいっても、なにを経済協力の対象にするのか、どちらの国の法律を適用するのかという難題が浮上した。

かりに日本人がロシア人と経済活動をするために国後島(くなしりとう)に滞在したとしよう。ロシア人とレストランでウオッカを飲みながら商談をしているときに、相手が激昂してしまった。儲(もう)けのぶんどり合戦がはじまり、挙句(あげく)の果てに暴力沙汰になり、ロシア人の店員が警察に通報してしまったとしよう。

日本人はロシアの警察官の取り調べを受けることになるのだろうか。日本が自国の領土と主張するかぎり、ロシアの法律が適用されることがあってはならない。でも、ロシア警察は北方領土を実効支配していることを理由に、権力行使するに違いない。一度でも、そのような事態になれば、ロシアの主権が既成事実化してしまう。

共同経済活動といっても、実態はロシアの法律のもとで行われることになる。つまり、ロシアの国家主権を容認することになる。

案の定、日露の両政府は二〇一六年以降、海産物の養殖や温室野菜栽培などを中心に北方領土での共同経済活動に合意しているものの、実現できていない。日本の官民調査団による本格的な現地訪問も、前進していない。経済活動を行う前提として、日本政府は「双方の法的立場を害さない特別な制度」を構築する必要性を唱えるが、ロシアは自国の主権を脅かす制度設計など論外というのが本音なのであろう。もう騙されてはならない。

思いつき外交の弊害

さらに、ロシアの狡猾さを象徴する場面を紹介しよう。二〇一八年九月一二日、ロシア極東の経済拠点、ウラジオストク市で開催された東方経済フォーラムの全体会合の場だった。この経済フォーラムは、プーチン氏の提唱によりロシア極東への日本、中国、韓国などの外国企業の投資を促進する目的で二〇一五年に始まり、毎年九月上旬に開かれている。

安倍首相はその日、日露関係の改善を訴える熱のこもったスピーチを終えた。そして席に戻り討論の場になると、着席したままのプーチン大統領は唐突に返答した。

「日露間は七〇年間、係争問題について議論してきたが、安倍首相から従来のアプローチを変えようという提案があった。これを踏まえて、さらに突っ込んだ話をしたい。そしていま、思いついた。日露間で平和条約を締結しよう。ただこの場ではなく、年末までに。いかなる前提条件も付けずにやろう」

プーチン氏は視線を九〇〇〇人ほどの参加者に向けると、間髪（かんはつ）を入れずに会場の一角から拍手が湧きおこり、その響きは一瞬で会場全体を包み込んだ。プーチン氏は、得意満面になった。

「皆さんに拍手を求めたわけではない。でも、わたしの提案を支持してくれてありがとう。平和条約を基盤に、日露は友人としてすべての問題を解決していきましょう」

まるでプーチン氏の提案を、満場一致で採択したかのような異様な雰囲気が広がった。拍手で議決する手法はソ連共産党の大会を彷彿させ、全体主義国家に特徴的なやり方だ。

でもプーチン氏の発言は、日本にとって到底認められないはずだ。

「いかなる前提条件も付けずに」という発言は、領土問題を平和条約から切り離すのも同然だ。プーチン氏が大統領に就任した一年後の二〇〇一年、森喜朗首相とイルクーツク声明で「四島の帰属の問題を解決して平和条約を締結する」と合意した。平和条約に先立って領土問題を解決しようという両者の合意は、反故にされたのだろうか。プーチン氏は、日本の首相を相手に嘘の約束をしたのだろうか。

それにしても不思議なのは、プーチン氏が二〇一八年九月に「従来のアプローチを変えよう」と提案していることだ。二〇一六年五月の首脳会談では、「新しいアプローチ」で対応していくことで合意している。それなのに二年後に飛び出した「従来のアプローチを変えよう」とはなにを意味しているのか、プーチン氏の発言に不信感は募るばかりだ。まさに、嘘に嘘を重ねているのだ。

結果的に、プーチン氏は日本を騙したことになった。約束した二〇一八年末までに、平和条約が締結されることもなければ、それにむけての進展さえもまったく見られなかった。プーチン政権は、いったいなにを考えているのだろうか。北方領土問題を餌に日露共同経済活動を拡大したいだけなのか。平和条約を締結するといっても、その後に領土を返還するとは一言も口にしていない。日本政府を攪乱するための戦略が、見え隠れする。

それにしても、プーチン氏の「いま、思いついた」という発言自体、不謹慎といえる。外交には相手国があり、事前の打ち合わせがないままで、内外メディアのまえで「思いついた」とわざわざ前置きしながら提案すべきではない。プーチン氏は、日露関係を自分の思うままに動かすことができると軽く考えているに違いない。プーチン氏の悪意を垣間見た感じがした。

ロシアが本音を吐いた

結局、二〇一八年末までに平和条約を締結することがなかったプーチン政権……。どこまでプーチン氏を信頼してよいのか。

二〇一九年に入ると、領土問題へのロシア側の姿勢が明らかに変化した。プーチン氏の側近たちが、北方領土を支配する正当性を躍起になって主張しはじめた。ラヴロフ外相は一月一七日の年頭会見の席で、「日本が第二次世界大戦の結果を受け入れる」ように強く求めた。「北方領土」という名称を使用することにも、不快感をあらわにした。

さらに同年八月には、ラヴロフ氏は平和条約について交渉する条件として「日本が第二次世界大戦の結果を認める」ことを挙げた。プーチン氏は平和条約交渉にあたって「いかなる条件もつけない」と公言した一方で、日本政府としては厄介なラヴロフ外相を相手に交渉することを余儀なくされている。プーチン氏とラヴロフ氏は結託して、日本を攪乱しているように思える。

加えて、ラヴロフ外相の発言の直前の八月二日、メドヴェージェフ首相が択捉島を訪問し、「クリル諸島（北方領土）はロシアの領土に決まっている」と記者団をまえに薄笑いを浮かべた。このように北方領土に対するロシアの主権をなりふり構わず打ち立てようとしている。

注意しなければならないのは、二〇一八年の秋以降、北方領土周辺で軍事演習やミサイルの発射訓練を相次いで実施していることであり、ロシア側は「自国の領土での訓練であり、日本には抗議する権利がない」と主張している。択捉島と国後島には、地対艦ミサイル「バスチオン」と「バル」が配備されたようだ。

このようにロシアが北方領土を軍事基地化すると、日露間で合意している経済協力活動はどうなるのであろうか。北方領土にたくさんの軍事基地が開設されると、軍事機密を理由に日露間の経済活動が大きく制約されることになりかねない。

それだけではない。一九九二年以降、北方領土を舞台に日露間でビザなし交流事業が行われているが、軍事施設があるという理由で、相互の訪問が一方的に破棄される恐れがある。実際に、二〇二〇年度はすべての交流事業が中止になった。新型コロナウイルス感染拡大のリスクを回避するためという建前があるものの、この新たな局面でもって交流の停止が既成事実化することは十分考えられる。

ロシア政府の高官たちが北方領土に対して、強硬な言動を繰り返している。領土問題を解決するために日本が乗り越えなければならないハードルをロシアはどんどん高くしているのである。「それでも日本はどんどん妥協してくる」とロシアのメディアは報じている。

実際、ロシアから強硬発言が飛び出すたびに、日本国内には「それでもプーチン氏こそが、本当に領土問題を解決できる。かれは最強の権力者だ」という言説が流布する。北方領土交渉が行き詰まるたびに、なぜかプーチン氏への期待感が高まるのである。これも、プーチン氏の罠なのだろう。

北方領土の現実を見よ

このように北方領土交渉は入り口で頓挫してしまっているが、では現実はどのようになっているのだろうか。

北海道の納沙布岬に立つと、国後島や歯舞群島を望むことができる。日本とロシアの境界が、目の前の海に広がる。わたしは二〇一七年七月、北方四島交流事業にはじめて参加した。国後島と択捉島を訪問するために、根室港で交流船「えとぴりか」に乗った。

内閣府の資料には「北方領土問題解決のための環境整備を目的として、北方四島交流（いわゆる「ビザなし交流」）の実施を支援し、日本国民と北方四島在住ロシア人との相互理解の増進を図っています」と記されている。日露の交流そのものが目的ではなく、領土返還にむけての方策というわけだ。

わたしはビザなし交流に参加するにあたって、職場に出張届を提出し、許可を受けなければならなかった。ただ問題は、国内出張、それとも外国出張の扱いになるのか、である。外国出張として申請すれば、北方領土はロシア領と認めることになる。当然、国内出張で許可を得た。

根室港を出港してから約一時間一〇分で日露の中間線（通過点）を越えた。正確にいえば、北方領土の水域は日本の領海である。ただロシアが実効支配を続けているので、中間線が設定されている。日本政府は、この中間線を国境線と定めていない。それなのに、日本の漁船が中間線に近づくと、船長に根室漁港から注意喚起の無線が入り、それでも突き進むと、ロシアの国境警備隊に拿捕（だほ）される。日露政府間で領土交渉が進展するかのように見えても、日露を隔てる海の現実は厳しいままである。戦後、北方領土がソ連に占領されてから少しも緩和することがない緊張。日露の首脳が領土交渉でどんなに進展があったかのように見せかけても、動くことのない現実が横たわっている。

交流船で中間線に差しかかったとき、ある参加者がわたしを甲板に案内してくれた。強い潮風が頬をなで、潮の流れが急で船は左右に大きく傾く。わたしは両足で踏ん張り、手すりをしっかりと握りしめる。

かれが人差し指で指す方向に目をむけると、船首にロシア国旗が掲げられている。目的地の国旗を示す「行先旗」である。交流船は日露の中間線を越えると、ロシアの水域に入ったことになる。旗の掲揚は、ロシアによる実効支配を認めるのも同然の行為なのだ。

交流船に同乗している政府職員に尋ねると、「ロシアへ敬意を表するための掲揚」という歯切れの悪い返答だった。どんなに領土交渉を重ねても、日露間にはロシアが設定する中間線、つまりロシアが主張する国家主権が立ちはだかっているのだ。領土交渉の場で、せめて交流船がロシア国旗を行先旗として掲げなくても、歯舞群島の海域に入域できるような措置を望みたいところだ。

北方四島交流事業に使用される客船「えとぴりか」に掲げられる行先を示す旗。日露の中間線を通過するとロシア国旗が掲げられた。

中間線を越えると、歯舞群島が点在している。最初に目につくのは貝殻島（かいがらじま）であり、納沙布岬の北東三・七キロと近い。北方領土のなかで、日本にもっとも近い島だ。実態は島というよりも岩礁であり、小さな灯台が建っている。一九三七年に日本が建設したものだ。納沙布岬に開設されている「望郷の家」には双眼鏡が設置されており、貝殻島の基礎部分が劣化し、灯台がいくらか傾いていることがわかる。

ロシア政府による補修が実施されていないために、二〇一四年以降、灯台は点灯していない。二〇一七年九月の日露首脳会談では灯台の修理工事について検討されたが、現時点では実行されていない。灯台の修繕さえも進展しないのに、北方領土での日露共同経済活動が実現するとは到底、思えない。

この歯舞群島は貝殻島をはじめとして水晶島、秋勇留島、勇留島、志発島、多楽島などの平坦な島と岩礁群、合わせて一三諸島から構成されている。終戦時に暮らしていた日本人は五二九七人を数え、昆布漁が盛んであった。現在、水晶島にロシア国境警備隊が配置されているが、ほかは無人島である。

それにしても懸念の一つは、歯舞群島の一つひとつの名称が日露間で違うことである。たとえば、貝殻島はロシア語の表記では「シグナーリヌィ島」、志発島は「ゼリョーヌィ島（緑の島）」となっている。

領土交渉をするにあたって、日本側が返還要求しても、ロシア側は「そのような島は存在しない」と突っぱねることも当然想定できる。

本格的に領土交渉するにも、まずは前提として一つひとつの島の名称をロシア政府に確認しておく作業は重要である。本当に腰の据わった領土交渉を望むならば、このような現実的な問題からスタートすべきである。

領土返還交渉は終わった

安倍首相はプーチン大統領との首脳会談では冒頭、ファーストネームの「ヴラジーミル」と呼びかけることが多かった。外国の指導者がプーチン氏を、そのように呼ぶのは珍しい。もっとも会談回数が多いカザフスタンのナザルバーエフ前大統領でさえ、敬称を用いている。硬直した領土交渉に対し、プーチン氏との個人的な関係を築くことで、突破口を開きたいという安倍首相の心情は理解できなくもない。

ただ、プーチン氏はそのような甘い誘惑を受け入れるような性格ではない。かれはロシア国益を担う大統領であり、有権者の直接投票で選出されたという自負心が人一倍大きい。プーチン氏は、相手が自分との間柄を友だちの関係にしたいという下心をもっていると見抜くと、それを突いてくる。相手をお人好しの政治家と捉え、子ども扱いする。容赦なく揺さぶり、嘘の約束を連発する。だから、プーチン氏と外交交渉するのは、要注意なのである。

このようなロシアの言動を見極めると、つくづく「外交交渉とは、武器を使用しない戦争」に等しいように思う。国家関係は友情関係に転化できるほど甘くはない。もちろん、国家間の難題を武力で解決する方法もあるが、あまりにも犠牲が大きくなってしまうし、その覚悟も必要だ。いくら代償を払っても、必ずしも戦利品を得られる保証はない。

ロシアを相手の領土交渉……。

まずは仕切り直しする勇気をもち、永久に存続するはずのないプーチン政権の行く末を見定めてからでも遅くない。

二〇二〇年八月二八日、安倍首相は辞任を発表した。そのときのロシア大統領報道官ペスコフ氏の声明は、以下の通りだった。

「安倍晋三首相は、日露関係の発展に多大な貢献をしました。そして、すべての係争問題の解決に尽力され、ロシア大統領とともに共通の利益を生み出すように努力されました」

ペスコフ氏の口からは、「平和条約」や「領土交渉」という文言は一切出てこなかった。もうロシアを信じて領土交渉するのは、やめた方がよいのではないだろうか。

第五章 「偽プーチン」説の真相

悪魔に魅了されるロシア人

二〇一五年秋のある日、モスクワのアパートの一室でのことだ。

友人のヴァシーリー（雑誌編集者）はわたしの目を見据えながら、したり顔で語りはじめた。

「モスクワ市内の狭い通りを、ロシア人の男性が運転するロシア製の無骨なデザインの車が走っていました。前方を二台の自動車が快走しており、それぞれの車の運転手は神と悪魔だったらしい。その道の先は、行き止まりになっていました。

神は急に右折して大きな通りに向かいましたが、悪魔はその手前を左折し、路地に迷い込みました。あとを追うロシア人は二台の自動車の動きを見定めてから、どちらに曲がるべきか、迷うことはありませんでした。神を追うかのように右方向のウインカーを出しておいて、実際には悪魔の方に左折しました。
神に敬意をはらう素ぶりを見せておきながら、本音では、悪魔に魅了されているからです」

友人が披露してくれた小話に、わたしは思わずロシア人の本性に触れたような気がした。かれの表情に滲む悪魔への愛着は、わたしたちの想像を超える相当なもののように感じたのだ。

ふつうのロシア人は信仰心が篤く、全人口の七割ほどがロシア正教会の信者といわれている。残りの人びともイスラム教、仏教、さらには土着のシャーマニズムを信仰している。

しかし、ことばでは神や仏の恵みに感謝するのに、心底では悪魔が大好きという人もいるようだ。神は善の象徴なのだが、悪魔にとことん心を奪われているらしい。悪をロシアの特産物のように自慢するロシア人は、本当に不可解なのだが……。

プーチン元夫人の証言の真贋

そんなとき、悪が吐き出す毒に群がるロシア人のツボにはまるニュースが、外国から飛び込んできた。二〇一五年三月二七日付のドイツ紙ビルトに掲載されたという記事に、ロシア国内は騒然となった。

プーチン大統領の元夫人、リュドミーラ氏へのインタビューである。

プーチン氏と彼女は、二〇一三年に「文明的な離婚」（プーチン氏の弁明）を発表したものの、その後の彼女の行方は確認されていない。

元夫人の姿は離婚後、ロシア国内の女子修道院で見かけたという情報があったり、再婚したという記事があったり、いずれにしても所在は明らかでない。ロシア人の間では、彼女は暗殺されたのではないかという噂が広がっていた。

そうした憶測が飛び交うなか、離婚表明から二年後に飛び出してきたのが元夫人の証言である。それにしても、その内容があまりにも衝撃的だった。

「夫（プーチン）の死について、まだ打ち明けたことはありません。当時、夫にとっても、とても辛い時期だったと思います。かれの表情は日々、どんどん暗くなっていきました。じつは夫が亡くなる一カ月前、娘たちは別の場所に連れて行かれましたが、そこがどこなのか、わたしは知りません。

そのあと、夫は姿を消しました。真夜中、自宅に見知らぬ人たちがやってきました。そのなかには、わたしが知っている人もいました。家宅捜索し、すべての文書を調べ、壁を叩(たた)いて点検もしていました。かれらはわたしにこう告げました。『もし生きていたいならば、今日の出来事をだれにもしゃべるな』。夫について質問すると、短くこう答えました。『かれはもうすぐ帰宅します。いまはまだ国家の安全にかかわる緊急の会議中です』。

わたしにとって、そんなことはどうでもよいことでした。数日後の昼間、かれの代役の姿を見ました。わたしが気づいたのは、ヴラジーミル（プーチン）の暗殺がすでに計画されており、かれの偽者が大統領の職に就く準備がされているということです。

外見は夫にとてもそっくりでしたが、まったく別人でした。娘たちはすでに姿を消しており、わたしに迫られたのは、従来通り献身的な妻を演じるか、または娘たちと同じ運命をたどるかのどちらかでした。わたしは、見知らぬ男の相手をすることだけは、絶対に嫌でした。

わたしがこうして生きていることができるのは、奇跡です。わたしを救ってくれた人がおり、その男性の名前を明かすことはできません。その人は『離婚』という方法を提案してくれました。わたしはいま、外国に住んでいますので、大丈夫です。でも、ロシアではとても怖いことが起こっています」

元夫人は、プーチン氏の暗殺を示唆している。

ビルト紙は、ヨーロッパでもっとも売れている大衆紙だ。ロシア国内でもインターネットを中心に大いに話題になった。しかし、本当に元夫人の証言なのだろうか。「見知らぬ人たちがやってきた」日時などが特定されていないので、信憑性に疑問が残る。ただ、ビルト紙が架空のインタビューを掲載するようには思われない。

リュドミーラ元夫人の発言によれば、どうやらプーチン氏は二〇〇八年頃に亡くなり、その代役が仕立てられたようだ。

二人の娘についてはわたしの知るかぎり、インターネットに画像がほとんど残されておらず、殺されてしまった恐れがある。

プーチン氏の秘密をもっとも知るのは日々の生活をともに過ごしてきた家族であり、

妻や娘たちはプーチン氏にとって最大の脅威であることに間違いない。プーチン氏のそばで暮らしていると、さまざまな情報を耳にしているはずだからだ。プーチン氏がロシア国内で自分を神格化しようとしても、家族はその実態を知り尽くしている。いざとなれば、家族は生身のプーチン氏の実像を暴くこともできるのだ。

本当のプーチンは死んだのか

一方、ドイツのシュピーゲル誌は、プーチン氏について別の奇妙な話を掲載している。二〇〇六年にプーチン氏が癌を患い、翌年半ばにはじつは死亡しているというのだ。

「ドイツの癌治療専門病院に、ロシア科学アカデミー附属病院から、ある癌患者の治療方針についての照会が入った。本物のプーチン氏だったようだ。当時の診断では、二〇〇七年半ばには死亡している可能性が高い」

シュピーゲル誌はプーチン氏が癌で病死していることを示唆し、先の元夫人の暗殺説とは符合しない。真偽のほどは定かでないにしても、偽プーチン説が広がっている理由は二〇〇八年から四年間、大統領から首相に転出し、政治の表舞台から消えた時期があったからだ。プーチン氏が大統領に就任したのは二〇〇〇年のことであり、当時のロシア憲法の規定では一期四年、連続二期までとなっていた。つまりプーチン氏は、最長でも二〇〇八年で任期満了ということになる。

そんなプーチン氏であったが、憲法を改正して二〇〇八年以降も大統領のポストに居座ると思われていた。だが、かれは首相のポストに移り、後継者には腹心のメドヴェージェフ氏を指名した。プーチン氏は一旦、表舞台から引き下がることになった。執務室は赤の広場に面したクレムリンから、西に四キロほどのロシア政府の建物に移った。

一般的な解釈としては、プーチン氏はタンデム（二人乗り）政権をつくり、メドヴェージェフ大統領はいわば表の顔であり、実権はプーチン氏が握るという構図であった。

いずれにしても二〇〇八年ごろに一つの転機があり、本物のプーチン氏は暗殺されたのか、病死したのか、と話題になったわけだ。

その真相は不明だが、注目すべきは、プーチン氏に代わって「偽プーチン」が本格的に育成されたというくだりである。もしそうだとすれば、「偽プーチン」を演じている人物は、だれなのか。そして、そんな偽プーチンをだれが操っているのだろうか。

都市伝説のような話題をロシア人が自慢そうにわたしに語ることがある。二〇一八年三月五日、わたしはモスクワ都心の目抜き通りで街頭インタビューを試みた。

「およそ二週間後にロシア大統領選が実施されます。プーチン大統領が立候補していますが、『偽者』説があります。あなたはどう思いますか」

「その噂は知っています。どう思うかって尋ねられても、わたしたちはどうすることもできません。わたしは、プーチン大統領に投票します」

寒風にさらされながらも、一九歳の女性は快活に答えてくれた。


首相時代に政治の表舞台に姿を見せる機会が激減したプーチン氏は、二〇一二年に大統領に復帰し、まったく異なる姿を表出させた。その政策が、二〇〇八年までの欧米協調路線とは真逆のものになり、人柄も豹変(ひょうへん)してしまったかのようだった。

プーチン政治の急変

二〇〇〇年に大統領に就任したプーチン氏はロシア社会の文明化を基本方針に掲げ、経済は市場経済化、政治は欧米流の民主主義を唱えた。二〇〇八年には原油価格が一バレル一〇〇ドルの大台に乗り、天然資源の輸出が全輸出高の七割を占めるロシア経済は相当、潤った。外貨収入の増大が後押しし、プーチン氏はロシアのイノベーションを推進しようとした。

しかも、プーチン氏は本来、欧米派だったといえる。ソ連時代のレニングラード大学法学部に在籍中、指導教官はアナトーリー・サプチャーク教授だった。サプチャーク氏は、ゴルバチョフ元ソ連大統領が提唱したペレストロイカ政策に傾倒し、ポスト・ゴルバチョフの有力候補者の一人と目された。サンクトペテルブルク市長に選出されたサプチャーク氏は、スパイとして東ドイツのドレスデンを拠点に活動した後、帰国していたプーチン氏を副市長に招いた。

プーチン氏は、ソ連邦の崩壊後に廃墟と化したサンクトペテルブルク市を復興するために欧米資本を積極的に導入する任務をになった。かれは、ロシア社会と欧米諸国との関係強化を目指す政治姿勢を鮮明に打ち出したのであった。

このようにプーチン氏はもともと、欧米派の政治家としてスタートしたのであったが、二〇〇八年に首相に転出した直後、まるで別人のような言動をとった。同年にロシア・

グルジア（現在の国名はジョージア）戦争が勃発したときのことだ。グルジア軍は南オセチアに軍隊を派遣し、独立派を武力で抑えつけようとした。だが、グルジア政府は先に軍事行動をとったのはロシア軍であると主張し、武力紛争にいたった。

ロシア軍は混乱をついてグルジア中部に侵攻し、戦闘は本格化した。グルジア大統領のミハイール・サアーカシヴィーリ氏はアメリカの大学を卒業、就職した経験があり、親米路線を掲げていた。グルジアはソ連構成国であり、いわばロシアと友好的な関係にあったのに、反ロシアの立場に転換した。それゆえ、プーチン氏の反感をかったのだ。

それにしても不思議なのは、戦闘が始まったタイミングである。

プーチン大統領の後継者となったメドヴェージェフ氏は、戦闘が始まったときは休暇中であり、プーチン首相は北京オリンピックの開会式に出席していた。グルジア軍は、いわばロシア政治の空白時を突いて攻撃したともいわれている。

プーチン氏はすぐにロシアに帰国、その足で現地のロシア兵を激励した。首相に退いたプーチン氏であったが、他国に軍隊を派遣し、いわば軍事介入したのである。当然、ロシア軍の侵攻については欧米諸国から大きな反発を受けた。こうして従来の欧米協調路線とはまったく異なる様相を呈することになった。ただ、首相時代のプーチン氏はグルジア侵攻のさいに積極的に動いたが、それ以降は目立つ言動は多くなかった。

プーチン氏は、二〇一二年に大統領に復帰すると、二年後の二〇一四年三月、ウクライナの首都を中心とする大規模な政変に乗じてウクライナ領のクリミアを併合した。欧米諸国から猛烈な非難が巻き起こり、その年の六月にロシアのソチ市で開催予定だったG８首脳会議（主要国首脳会議）の会場が、別の国に変更された。そして、プーチン氏は招待されなかった。プーチン氏にとって、自分が主催するG８がキャンセルされるのはかなりの痛手のはずなのに、意に介さない。逆に、なぜか意気揚々とした姿を見せつけた。

さらにクリミア併合を契機にプーチン人気がロシアで沸騰（ふっとう）した。政府系の社会調査組織「全ロシア世論調査センター」の支持率は併合まえまでは平均して四〇％台から五〇％台で推移していたが、領土拡大に成功した途端、八〇％を超えてしまった。欧米諸国による厳しい経済制裁を突きつけられたが、プーチン人気はロシア国内で急上昇した。

本来ロシア人は、「強大な国家」を志向し、最高指導者がめざすのは領土拡大である。

一五世紀以降のロシアは、領土の拡大を図ってきた。モスクワを中心に、ヴォルガ川、ウラル地方、さらにはシベリアへと進出していった。一九世紀には東シベリア、極東、カフカース地方、中央アジアへと領土を広げた。

ドストエフスキーの小説『罪と罰』には、「嗚咽(おえつ)しながら母なる大地に接吻(せっぷん)する」というシーンがある。

余談になるが、クリミア併合の一カ月まえに開催されていたソチ冬季オリンピックでは、ロシアチームは三三個のメダルを獲得したものの、ドーピング疑惑が噴出した。ロシア政府のドーピング介入が疑われ、それ以降のオリンピックではロシア国旗を掲げて選手団が参加することが禁止される事態になった。オリンピックからロシアという国家が締(し)め出されてしまったのだ。

ロシア人が好むフレーズに、「見つからなければ、泥棒ではない」というのがある。欧米諸国によってドーピングがどんなに摘発されても、確固とした証拠がないと反発する。たとえ客観的な事実を提示されても、「見つけた人が悪い」と開き直る。

偽プーチン説の流布

このようにロシア政治は二〇〇八年以降、大きな政策転換があり、現在のプーチン氏は「偽者」だという噂が根強くある。ロシア語ではЛжеПутин（偽プーチン）と表現され、インターネットを中心にロシア全土に流布している。国内の市民団体は、最初に大統領に当選した二〇〇〇年代前半のプーチン氏といまのプーチン氏の顔を比較して、別人だと訴える。頬骨や耳の形の違いなどを指摘している。

果たして真相は……。

かつてのロシア帝政時代も、国内で自然災害や飢饉が発生すると、現皇帝（ツァーリ）は偽者であり、本当の皇帝を探そうという社会運動が巻き起こった。真の皇帝ならば、民衆を救済し、社会の安寧を崩すことはないというのだ。

友人ヴァシーリーは、ロシア独特の政治的な背景を解説する。

「いまのロシア社会で偽プーチン説が広がるのは、原油価格の下落、そして欧米諸国による経済制裁で経済状況が悪化していることがあります。

その原因を欧米諸国というよりも、プーチンが偽者だからだと考えるわけです。本物

「偽プーチン説」に便乗し、プーチンになりきる男性。

のプーチンならば、国民をこんなに苦しめるはずがない。そして、偽プーチンならば暗殺するしかない。昔からの『皇帝崇拝』は根深いのです」

「打倒、プーチン」

二〇一九年九月、わたしはあるロシアのニュースに驚愕した。

プーチン大統領に辞任を迫るために、同年三月六日、モスクワから約八〇〇〇キロも離れたシベリア中央部の村から歩いて出発した男性が話題になった。かれの名前はアレクサーンドル・ガーブィシェフ、当時五一歳のシャーマン（呪術師）だ。荷車にテントなど最低限の日用品を積んでモスクワをめざした。
「プーチンは悪魔だ」というスローガンを掲げるかれを支援する人びとが、沿道に集まり、食料をあたえて励ました。かれの行動は正気の沙汰と思えないが、本物のプーチンならばロシア人を幸せにするという、ロシア人としてかれなりの確信があったに違いない。

しかし九月一九日の早朝六時、テントで寝ているところを警察官によって身柄を拘束され、精神病院に収容されてしまった。

「偽プーチン」打倒に立ち上がったシャーマン。そのかれは、精神病と診断される。ロシアでは、もはやなにが真実なのか、倒錯した世界が広がっている。

第六章　飲まずにはいられない——世界最悪の飲酒大国

シベリアとは

無限に広がるシベリア大平原で飲んだウオッカ。

極上の一杯となった……。

二〇一三年七月、わたしはシベリアの片隅で気が抜けてぼんやりしてしまっていた。大自然にすっぽり包まれて、どんなに大きな声を張り上げても、反響がない。一つひとつの言葉は、まるで粒（つぶ）になって、二メートル先ですとんと地面に落下するように感じてしまう。夏のシベリアは気温が三〇度近くまで上昇することがあり、土はぬかるみ、足で踏むとふわふわした感触だ。この柔らかい土のなかに、わたしの発した言葉は吸いこまれてしまったのだろうか。

ここで、シベリアという地域について説明しておこう。

シベリアは、世界最大の国土面積を有するロシアの五七%の広さを占める。九八〇万平方キロメートルの大きさは、ほぼアメリカと同じだ。

そもそもシベリアというのは、日本でいえば関東地方や関西地方といった複数の都道府県をまとめた地域のことである。西はウラル山脈、東はバイカル湖、レナ川の東方まで広がる。ロシア極東をシベリアに含めることもあるが、ロシア人はふつう区分けしている。

シベリアといえば、日本人に馴染みが深いのはバイカル湖である。雲間からさす一条の陽光を吸い込むバイカル湖。湖面の紺碧(こんぺき)は神秘的な美しさを放っている。最大水深はおよそ一六四〇メートルで世界一を誇る。このバイカル湖を水源とするアンガラー川は北西に流れ、多様な自然を育んでいる。「バイカル」とはチュルク語で「豊かな湖」を意味する。

バイカル湖の名産は、なんといっても「オームリ」である。サケ科の白身魚で、脂質の割合が約二〇%と高く、糖質やタンパク質の代謝に不可欠なナイアシンを含んでいる。

生のオームリをスパイスでマリネした料理「スグダーイ」はシベリアだけではなく、モスクワでも人気だ。

バイカル湖には二〇一二年八月一四日にも訪れたことがある。湖岸に隣接する山間で、わたしは中年の三人兄弟と若い女性に出会った。男性の一人はこう声をかけてくれた。

「シベリアっ子が重い病気を患い、今にも神様に魂を捧げようとしているとします。オームリの尻尾の脂を病人の唇にこすりつけると、すぐに元気になります」

本当にそんな効果があるのだろうか。にわかに信じられないが、素朴な笑顔にわたしはなんとなく納得してしまった。

バイカル湖周辺では漁業についで酪農も盛んで、脂肪分の多い濃厚な乳製品が特産だ。スメターナ（発酵クリーム）、ケフィール（発酵乳）、森林地帯で採取される薬草茶。さらに赤いラズベリーや黄色のシーバックソーン（サジー）、チャーガ（シベリア霊芝）を含むブレンド茶も、人気商品だ。

バイカル湖周辺を歩いていて驚いたのは、松かさのジャムを売っていることだった。渋みと針葉樹林の香りが強烈だ。また松の実はビタミンやミネラル、リノール酸を多く含んでおり、風邪や慢性疲労を回復させる効能があるといわれている。特産の松の実を蜂蜜で固めて、チョコレートで包んだ商品は高値で売られている。

「シベリアのパリ」

バイカル湖の南西岸のリストヴャーンカ村から北西六〇キロのところにイルクーツク市がある。一六六一年にコサックが城塞を築き、その後は中国との貿易と採金業で栄えた。

その一方で、西欧風の彩りを添える街並みを形成した。意外と知られていないが、この町は「シベリアのパリ」の異名を誇る。一九世紀半ば、デカブリスト（青年貴族将校）たちの流刑地となったからである。一八一二年のナポレオン戦争に従軍した青年将校は、フランス軍を追ってパリまで進軍した。町はフランス革命後の自由な活気に溢れており、かれらはロシアの後進性を思い知った。

帰国後の一八二五年、サンクトペテルブルクを中心に専制支配に抗して蜂起した。この「デカブリストの反乱」は失敗に終わり、四〇人（シベリア流刑者の三分の一）ほどがイルクーツク県（当時）に追放された。

だが、かれらは刑期を終えても住みつづけ、イルクーツクの近代化に貢献した。私費を投じて建物を建てたり、学校や医療施設を開設したりした。東シベリアの地に、二〇〇年ほどまえに芽生えたパリの風情を感じる街並みが広がる。

大平原のなかの虚しさ

わたしは二〇一三年七月二九日、イルクーツクの駅からシベリア鉄道に乗って北西に三時間二〇分、約二〇〇キロ離れたザラリー駅に向かった。車窓の外には、交互に森林や平原、川が現れる。駅に着くと、アレクサーンドルが出迎えてくれた。わたしはザラリーを三カ月前にも訪問しており、偶然にかれと知り合った。四〇歳の細身で、日本がどこにあるのか、正確に知らないという。どうやら、東南アジアの島国の一つと認識しているようだ。

小さな駅なので、乗降客は五人ほど。駅舎の周辺には商店がなく、丸太を組んだロシアの伝統的な平屋が点在している。人影はなく、まるで妖怪が庭の樹木の陰や井戸のなかから息をひそめてわたしの動きをうかがっているような不穏な気配だ。どの家の屋根からも煉瓦造りの煙突が突き出ており、薄煙が上がっている。風にのって、ほのかに焚(た)

き火のにおいが漂ってくる。

ザラリー駅で下車したのは、そこから南一〇〇キロほどの森林地帯に、東欧からの流浪の民ゴレーンドル人の村を訪れるためである。

先祖はもともと一五六九年に誕生するポーランド・リトアニア共和国内を放浪していたが、一七世紀初頭にポーランドの伯爵によってブーク川沿い（現在のベラルーシとポーランド国境付近）に集められた。一七九五年のポーランド分割で、かれらの地はロシア領土に併合された。一九〇六年のストルィピンの農業改革で農民は自由に農村共同体から離脱できる権利を付与され、ゴレーンドル人たちは土地を求めてシベリアの今の奥地に移り住んできたというのだ。以来、森の中にひっそりと暮らしているという。

アレクサーンドルは、ゴレーンドル人の住む村まで送り届けてくれることになっていた。かれの運転する車に乗り、走りはじめると、デコボコ道が地平線を越えて果てしなくまっすぐ続く。代わり映えのしない風景をずっと眺めていると、なにかを感じとるという意欲が完全に消え失せ、わたしは無力感に襲われた。

あまりの単調さに、わたしとアレクサーンドルは言葉をかわすこともなくなった。出発してから三〇分ほどの間、かれは自動車修理工場で働き、奥さんは村役場に勤務していることなど、愉快な私生活を語っていた。そんなかれもすっかり寡黙になっている。

わたしが何気なく、車の後方を振り向くと、視界が遮られるほどに砂塵が巻き上がっていた。上下左右もなく、もうもうと立ちこめている。夏のシベリアの気温はときには三〇度に上昇するが、空気は極度に乾燥している。日本の夏の蒸し暑さを、まったく想像できない。このシベリアでは直射日光を浴びているところで風に当たると、ヘアドライヤーの熱風を吹きつけられているようで耐え難い。

広大な大地が広がる空間に包まれると、方向感覚をなくしてしまいそうになる。地平線を遮るものといえば、所々に生えた樹木だけだ。家や標識、電柱など、人間が手を加えたモノはない。全方向にのびる無限大の空間に陶酔してしまう。人間が涵養した知識も英知さえも無力に感じられ、まるで宇宙空間に迷い込んだような錯覚に酔ってしまった。少し大げさかもしれないが、わたしは空間の圧迫感に痺れてしまったのだ。

極上ウオッカの出番

一時間半ばかり車で走ったところで、アレクサーンドルはわたしに休憩を告げ、道路の路肩に車を停めた。車を降りて少し下ったところに、湧き水が出ている。

「あの水で、手と顔を洗い、うがいをしよう」

湧き水は石と石のあいだから出ており、陽光を乱反射してキラキラしている。わたしは、その透明さにびっくりした。この辺りは冬季、マイナス四〇度ほどに下がることがあるらしい。凍土の氷が溶けて出てきているのだろうか、水温は五、六度ぐらい。両手で水をすくって顔にパチャパチャかけると、目が覚めるように爽やかだ。うがいをするのがもったいないほど清らかで、思わず飲み込んだ。

そのときのことだ。アレクサーンドルは突然、小脇に挟んでいたビニール袋から、ウオッカのビンを取り出した。いつの間にかウオッカをジャンパーの中に忍ばせていたらしい。湧き水の横の大きな石の上に置いた。つぎに右ポケットから二つの小さなグラスを取り出した。そして、ウオッカをなみなみと注ぐのであった。三〇グラムほどだろうか。とろりとした液体が陽光を反射して、ダイヤモンドのきらめき模様のように輝く。

ウオッカはロシア国内で広く飲まれる蒸留酒であり、ときにはロシアの文化を育み、民間療法に利用されるなど、ロシア人の生活に大きな影響をあたえてきた。二〇二〇年三月にコロナ感染者がロシア全土に広がったとき、「ウオッカを飲めば大丈夫」という声があがった。さすがにロシア政府は、慌てて否定した。

ウオッカの起源についてはいろいろな説があるが、薬用酒としてその名前が登場するのが一五三三年、一般にアルコールとして認知されたのは一七世紀に入ってからだ。

ウオッカの飲み方

アレクサーンドルは、ウオッカの飲み方を伝授してくれた。手にグラスを持ってからの呼吸がポイントらしい。両ひじを真横に引くことで、胸を大きく広げることができる。そこで思い切って空気を吸い込み、そしてハッと吐き出す。つぎに間髪入れずに、ふたたび空気を吸い込むような勢いで、グラスのウオッカを飲み干すというのだ。ウオッカを喉ではなく、一気に食道から胃に放り込む感覚らしい。

ウオッカは「飲み込む」のではなく、「放り込む」。味わいを堪能（たんのう）したり、香りを楽しんだりする必要はない、といわんばかりだ。ちびちび飲むのも、ご法度（はっと）だ。大自然に陶酔した、その酔い止めの大きな錠剤を飲むような感じでいいのだろうか。

一度、練習したところで、かれがこう声をあげた。

「あなたの健康を祈って……乾杯！」

アレクサーンドルは、自分のグラスをわたしの目のまえに差し出した。わたしはあわてて自分のグラスを、かれのグラスに軽く当てた。

こうして放り込んだウオッカは、わたしにとって爽快な一杯になった。シベリアの果てしない単調な光景をまえに、あっけにとられ、気が抜けてぼんやりとしてしまったわたしの心の襞にまで、ウオッカはしみこむのだった。

ウオッカは、大自然に心を奪われて、自分の存在を自覚できないほどの放心状態に、電気のような刺激をあたえてくれる。ウオッカにピクッと神経が反応する感覚も、頼もしい。こうしてわたしは、心に張りを取り戻すことができた。

ビンから絞り出すほどに

二人で乾杯を繰り返すと、すぐにビンは空っぽになった。するとかれは唐突に、滑稽(こっけい)なしぐさを始めた。酔っ払ってしまったのだろうか。

空ビンを逆さにして底を親指の付け根でポンポンと叩く。ビンの底に残っているウオッカの滴(しずく)を、叩き落とそうというのであろう。わずかに滴(したた)り落ちるばかりだが、それでもアレクサーンドルはあきらめない。

つぎに、かれは逆さのビンを両手で握り、そしてねじるように力を込める。まるでタオルを絞るかのような仕草だ。

すると、なんと不思議なことに一滴が、あたりの気配を警戒するかのようにビンの口からそっと垂れてくるのであった。指先にそのわずかな一滴を垂らし、それを愛おしそうにのばした舌で舐める。そしてアレクサーンドルは空を仰ぎながら、独り言のようにいった。

「この一滴が、極上の美味しさなのだ」

どうやら、ウオッカの味わいは、最後の一滴に凝縮しているようである。舌に触れる滴は瑞々しく、スッと喉に溶けていくやわらかさ。からだに放り込むウオッカとは別格のものらしい。

警察官は「伝説の人」

シベリアで極上のウオッカを堪能したわたし……。

ウオッカにすっかり魅了されてしまったが、一息入れたところで、ハッとなった。愉快なアレクサーンドルはこれから先、飲酒運転になるのではないか。警察官の検問にひっかかったら、面倒なことになる。

飲酒運転は、ロシアの法律では初犯の場合、三万ルーブル（約六万円）の罰金、そして免停は最大二年に及ぶ。それを見逃す代償に、警察官が法外な賄賂（わいろ）を要求してくるかもしれない。ロシアの警察官は、反社会勢力と揶揄（やゆ）されるほど、人びとに怖がられている。わたしの懸念を伝えると、かれはこう開き直った。

「心配するなよ。シベリアの平原には、警察官なんて働いていないから。だって人間が住んでいないからね。警察官なんて出会ったことがないし、伝説の人だと思っている」

たしかにそうかもしれないが、飲酒運転すると、事故を起こす危険性が高まるに決まっている。その不安を、わたしはかれに質した。

「いやいや、ウオッカを飲むから安全運転できるのだよ。シベリアで運転していると、広大な空間が人間の心を吸い込み、リアルな感覚が麻痺してしまう。ウオッカで神経を刺激してこそ、正常に運転できるのだ」

そう言い終えたところで、アレクサーンドルはわたしの頭を両手で鷲づかみにする。両手で頭をガバッとつかみ、頭髪に自分の鼻先をこすりつけるのだ。そして、思い切りにおいを吸い込んでいるような荒い鼻息が、わたしの耳元に響く。わたしは何日も洗髪していないので、酸っぱいにおいを放っているに違いない。散々嗅いでから、かれはこう言い放った。

「すごいにおいだね。たまらない……。いいね」

自分の嗅覚を確認することで、神経が正常な状態にあると示したかったのであろう。突然の行為に、わたしはさすがに面食らった。

じつは、ウオッカを飲んだあとにやたらとにおいを嗅ぐのは、ロシアの伝統的なやり方である。きついにおいを嗅ぎ、その臭さを感じることで、自分の感覚がまともであると安心するのだ。

もし近くに人がいない場合は、自分のシャツの袖口や手首に鼻をこすりつけてにおいを嗅ぐ。家庭で飲むときには、黒パンを鼻先に押しつける。ライ麦の甘酸っぱい香り、そしてしっとりした生地を感じとる。

ロシア国土の大部分を占める森林地帯、そのなかで暮らすロシア人にとってウオッカは欠かせない自己確認のための「神聖な水」なのである。ウオッカの語源は、「ヴァダー（水）」だ。二〇二〇年のアルコール飲料の消費量を見ると、ウオッカは全体の五一%を占めており、ビールとワインを圧倒している。ウオッカの一人当たりの年間消費量を国別で比較すると、ロシアは世界一位の一三・九リットル。

オイルとウオッカ

モスクワに冬の気配が漂う一一月……。

二〇〇六年のことだが、ウオッカの真髄（しんずい）をロシア人の都市生活で思い知ることになった。

わたしは偶然、モスクワの都心にある「赤の広場」の隅のあたりに、一人でたたずむ初老の男性を見つけた。少し躊躇したものの、足早に近寄ってみた。あごひげを生やした貧しい身なりに、わびしさがにじんでいる。でもよく観察すると、足首は丸太のようにごつく、まるでロシアの大地に根づく大樹のような風貌（ふうぼう）を醸し出している。ロシア文学の主人公に出会ったような気がして、気持ちが高ぶった。

あいさつすると、わたしは思い切って、こんな質問を投げかけた。

「ロシア人にとって、オイルとウオッカは、どちらが大切ですか」

男性は、目を細めて微笑んだ。

「原油価格が高騰し、ロシア経済をドンドン押し上げても無駄だね。オイルは人間の魂を温めることはできないから。どんなにお金があっても、ロシア人の幸福感を満たすことは無理。やはりウオッカに限る」

その日、わたしはクレムリンのスパースカヤ塔から午後五時を告げる鐘の音に気づき、なんとなく赤の広場に足を向けたのだった。黄昏の迫る広場は人影も少なく、閑散としている。赤の広場の壁の向こうには、プーチン大統領の執務室や首脳会談が開催される宮殿が見える。まさにロシア政治の中枢機関に隣接する広場なのだ。それなのに、不思議と静寂だった。

その老人の見つめる先には、経済繁栄に狂喜乱舞する買い物客たちの姿がある。なにかにとりつかれているかのような姿。かれらは両手に欧米の高級ブランドの名前がデカデカと記された紙袋をいくつも提げている。かれら一人ひとりの表情から、心躍る気持ちが伝わってきた。

当時のロシア経済は、まさにバブルの絶頂期を迎えていた。ソ連時代を含めてロシア人の多くがはじめて資本主義の怒濤に飲まれ、その栄華に酔いしれていた。地下鉄のプラットホームを歩いていると、「時は金なり」とわたしの耳元で囁いて押しのけるように駆けていった若い男性がいた。時間を惜しむかのように人混みのなかに消え去った男性の細身のスーツ姿に、かつてのソ連社会を知るわたしには隔世の感があった。

たしかにプーチン氏が大統領に就任した翌年の二〇〇一年以降、町の様相が大きく変わった。ＧＤＰ成長率は本格的な上昇局面に転じ、二〇〇六年には前年比で八・二％を記録している。とはいっても、ロシアが新しい産業を育成し、自力で経済大国にのし上がったというわけではない。

世界的なオイル価格の上昇が、大きな要因となったのである。二〇〇一年まではおおむね一バレル三〇ドル以下で推移していたが、その後、上昇に転じて二〇〇六年には七〇ドルに迫り、二〇〇八年夏には一四〇ドルに達した。

七年間で五倍近くにまで跳ね上がったのだ。ロシアの輸出高の七割が、天然資源関連で占められる。いわば「毎日、宝くじに当たる」かのように外貨収入が激増した。このようなオイル価格の上昇を招いたのは、石油需要の増大と投機マネーの流入である。だから、ロシア経済の繁栄は世界の資本主義経済に依存しているといえる。

ロシアはヨーロッパなのか

だが、赤の広場で出会った先の老人は、バブル経済に踊るロシア人の浅はかさを見透かしているかのようだ。ロシア人にとって大切なのは、ロシア経済を潤すオイルなのか、それとも伝統的なウオッカなのか。

いわば、資本主義を奉じる「欧米」と「ロシア」のどちらの価値観をロシア人は選択するのか、迫っているようだ。両者の選択は一九世紀以降、ロシア人が繰り返し思い悩んできている本質的なテーマである。ロシアはヨーロッパの近代化に追随する道を歩むのか、それともロシアの独自性を追求するのか。

老人の発言と容姿から、どんな時代にあっても、悪霊にとりつかれた人間を正し、民衆に生きることの価値と道徳を一つひとつ問いかける、ロシア本来の伝統的な姿と不屈の精神の持ち主のように思えた。

ロシアの虚栄の繁栄を見透かし、ロシア人の貪欲をせせら笑うような言葉を発したのである。老人の眼差し(まなざ)は、消費生活の栄華に酔いしれて現実と虚構の境がすっかり消失してしまっているモスクワ市の街並みに注がれているように映る。いわば、すさむ人びとの心の襞に注がれているのだろうか。

欧米と古いロシアの間の選択を迫られるロシア人の辛い心情を察したのか、モスクワ市内の商店では、オイルのドラム缶を模したアルミ容器に入ったウオッカが販売される

ドラム缶を模したアルミ容器に入れて販売されるウオッカ。

ようになった。商品名は「オイル」、価格は四一二二ルーブル（八二四四円）だ。酒の販売コーナーにオイル缶が所狭しと並べられているのを見たときは驚愕した。ラベルを確認すると、たしかに「ウオッカ」と小さな文字で記されている。容量は〇・七リットルと少なめだが、アルコール度数は通常の四〇度。このウオッカを買えば、ロシア経済の繁栄を謳歌（おうか）しながら、ロシア古来の酒を安心して飲めるというわけだ。ロシア人の気質にぴったりである。人気商品となっており、円形の万引き防止装置が巻きつけられている。

　最後に、ウオッカにまつわる本末転倒の話を紹介しよう。ロシアでは、いまでも、選挙のときに、パンや塩などの食料品にまじってウオッカが格安で販売されている投票所が見受けられる。パンや塩が投票所で売られているのも珍しいが、どう考えてもアルコールを売るのは正気の沙汰ではないだろう。一杯ひっかけて投票を、ということなのか。戸惑うわたしの問いかけは、モスクワ在住の友人によって一笑にふされてしまった。

「ウオッカを飲んで、ロシアの将来をしっかり考えて投票しようということだよ」

わたしの正義感は、無残な敗北を喫した。

友人は間髪を入れずに、テーブルのうえにウオッカのビンをおいた。わたしは、こう声をあげて皮肉るのが精一杯だった。

「倒錯したロシアに、乾杯！」

第七章　祖国を愛せないロシア人の悲哀

ロシア人の根本的な不幸

「ロシアを愛するのは罪なことですが、でもロシアを愛さないと犯罪になるのです……。現実のロシア社会はあまりにも理想からかけ離れており、惨憺たる現実にあきれ果てています。改善しようという気持ちも消え失せています。権力者はつねに、不満を募らせる民衆の言動を警戒しており、さまざまな方法で社会の動向を監視し、わたしたちに愛国精神をもつように強要しているのです」

友人のイーゴリは神妙な表情で、祖国への心情を吐露する。かれと知り合ったのは、わたしがモスクワ大学に留学した一九八三年である。テーブルをはさんで向き合うわたしをチラチラ見ながら、祖国を愛するのは良心の苛責にさいなまれるほど、ロシアは荒廃しているというのだ。

しかし、祖国を露骨に嫌うという態度は、プーチン政権が推進するロシア愛国主義に抗することになる。反政府運動に参加すると、警察署から職場に通報され、上司からハラスメントを受けることは日常茶飯事のようである。退職を迫られたり、ときには、難癖をつけられて刑罰に処されたり、毒を盛られる危険もあったりする、とタメ息をつく。

イーゴリの言葉の端々から、自国への向き合い方に悩み、苦しむロシア人の姿が浮かび上がってくる。ロシアに誕生することの憂い、そして悲壮感がヒシヒシと伝わってくる。もちろん、いくら考えても、答えが出るわけではない。解答がないことは、ふつうのロシア人ならば当然、よくわかっている。それでも、絶望的なロシアを目の当たりにすると、そこに生まれてしまったことの悲劇への問いかけをはじめてしまうロシア人。そして、その不幸な運命……。

おんぼろバスでの喧騒

イーゴリの発言は、わたしが遭遇したバスでの喧騒を伝えたときに飛び出した。二〇〇九年一二月二七日夕方、かれのアパートを訪ねることになっており、モスクワ都心から南東方向にある地下鉄リュブリーノ駅からバスに乗った。車体の所々に錆(さ)びが浮いており、どう見ても製造から四〇年ほどのオンボロだ。後ろの車高が異常に低く、乗客の重量を支えきれていない。エンジンもブルブルと不安定な低音を響かせており、いまにでもエンストしそうだ。それでもヨロヨロと走り出し、少しずつ加速するとエンジン音は快調にうなりだした。

うす暗い車内は静まり返っており、モスクワ市郊外に広がるベッドタウンに住む仕事帰りのサラリーマンたちが漂わせる沈鬱(ちんうつ)な空気で重苦しい。一人ひとりの表情に、欧米流の市場経済という名のいびつな経済への失望と劣悪な住居環境、そして家庭内不和による疲労感が色濃くにじんでいるように感じられた。

少し補足するならば、ロシアの離婚率は世界でトップクラスだ。二〇〇二年には離婚率は八四%に達した。原因はアルコールと麻薬が四一%、狭い住居環境が二六%となっている。

住居については、モスクワなどの都市部では結婚してもあまりにも価格が高いために、新居を構えることはとてもむずかしく、どちらかの親（ほとんどの場合、妻の親）と同居することになる。それが引き起こす摩擦が、大きな精神的負担になるようだ。ただ、ロシア人は離婚自体を否定的に捉えることはない。無理をして暮らすよりはマシと思うのだが、それでも離婚に向けての軋轢(あつれき)に疲れ果てるのである。

わたしはロシア滞在中、自由な時間のあるときは、できるだけバスに乗ることにしている。車内は、まさにロシア社会の雰囲気を凝縮した空気が充満しており、それを体感できるからである。

その日も、いまのロシアを感じとっていたときだった。沈黙を破って突如、四、五人の乗客がそれぞれに叫びだした。

「降りるよ」

「止まれ……」

「なぜ停車しないのか」

乗客たちは、互いに顔を見合わせて肩をすくめる。その直前、次のバス停をつげる自動音声が響きわたったばかりなのに停止しないのだ。男性の乗客はあわてて降車口のうえに設置されている赤い非常ボタンを押す。わたしがその乗客の指に視線を向けると、ボタンは押し込まれたままのへこみっぱなしの状態で、元に戻らない。しかもブザーは鳴らず、まったく反応しない。男性はボタンを押してすぐに見限った。

非常ボタンは運転手に緊急事態をつげるためのものだが、どうやら故障しているらしい。事が差し迫っている状況下で作動しないのが、いかにもロシアだ。どんなに安全装置や危険防止の策が講じられていても、いざというときに役立たずというのは日常のありふれた光景である。

序章で核バッグが作動しなかったという証言を記した資料を紹介したが、緊急事態が発生しても、肝心の装置が動かない。もちろん日常生活での機械の不具合はロシアにかぎらずどこでも発生するのだが、ロシアではほとんどの場合、その対策が功を奏しないのである。問題が解決されるどころか、同一の事態が果てしもなく繰り返し起こるのだ。これに、ロシア人が呆（あき）れているのである。

本来ならば、運転手や整備士が事前に点検すべきなのだろうが、だれも定期的にメンテナンスしない。今回の件でわたしが感じたのは、たとえロシア社会ではどんなにすばらしいアイディアが生まれて、それが生活の場で生かされても、すぐにダメにしてしまう人がいるということだ。それどころか、せっかくの機器も壊す人が続出するのである。

噛み合わないロシア人同士の会話

話を元に戻そう。

男性は乗客をかきわけて運転席につめよる。運転手は男性に目も向けず、前方を見つめながら平然と答える。

「バス停は撤去された」

車内放送が流れたのに、停留所は存在しないというのだ。なんという理不尽。運転手の一言に、男性は怒り心頭で言いかえす。

「今朝、停留所はあった」

「バス停があったかどうか、それはわたしの問題ではない。いまバス停が存在しないので、停車できないだけのことだ」

運転手の他人事のような声が、車内に響きわたる。どうやら、運転手にも乗客にもなんの予告もなく停留所は消えてしまったらしい。その理由をだれも、当然のように知らない不運。運転手は乗客の罵声を聞きながら、さらにもうひとつのバス停も通過してしまった。終点まで止まらないのだろうか。

車内は、降車できなかった乗客たちの怒号がとびかい、騒然となる。それでも、バスは止まらない。本来停車すべき二つの停留所をとばして、ついに三つめのバス停に止まった。二キロ近くは走ったであろうか。

ようやく停車したバスのドアーが開き、乗客一〇人ほどが降車口に殺到する。三番目に降りた初老の男性が、開いたドアーの向こうの暗闇にむけて怒鳴った。わたしにはかれの背中が見えただけであったが、肩が上がり深呼吸してからの叫びだった。

「ロシアは、ホントにクソだよ」

わたしは心底、びっくりしたが、乗客のだれひとりとして男性をとがめない。もちろん、運転手が乗客にわびることもない。そのとき、思わず隣席の五〇代の女性にわたしはこう尋ねてしまった。

「ロシアとは、だれのことですか」

買い物袋を膝のうえにおく女性は首をすくめながら、こう一言を返した。

「わからない……」

先の男性乗客は当てどのない罵声を発したことになる。「ロシア」とは運転手のことなのか、はたしてプーチン氏も含まれているのだろうか。バス停を勝手に撤去した人のことならば、具体的な人物はわからない。

わたしが色々想像していると、女性はとっさに言い放った。

「わたしたちは、だれでもよいから、ののしるのが大好きなのです」

想像だが、男性は混沌とする日常生活を、十把一絡げにロシアに見立ててひとうちにしたのであろう。過去のさまざまな不快な出来事、さらには再現される将来の悪行も思いうかべて、過去の苦痛と将来への不安からいくらかでも解放されるために怒りの矛先としてロシアを仕立てたのかもしれない。

再起不能のロシア

喧騒を目の当たりにして、ロシアの知人たちがわたしになんども諭してきた言葉が、思い起こされた。まさに現実に起こっている光景にぴったりなのである。

「ロシアは、将来に何が起こるかを推測できない国です。信じられないようなことが突然起こったり、ときには人間の悪意で生活がゆがめられたりします。思いどおりにいかないことが多く、期待は簡単に裏切られてしまいます。だからあなたはずっと、そんなロシアに困惑していくことでしょう」

ロシアには、わたしが容易に理解できない謎がひそんでいるのだろうか。もう一人の友人はかつて、こわばった表情で真情を吐露したことがある。

「わたしたちが予測不能の国に住むことになってしまったのは、過去からなにかを学び、それを将来に生かしたり、未来を予測したりしなかったからです。悪意、絶望、怒り、幻滅、恥辱という人間の感情によって歴史がゆがめられてきました」

ロシアは一見、再起不能のように感じられる。わたしが乗車したよりも後続のバスのなかでも、同様な怒号がとびかっていたのであろうか。それどころか、すでに半日ほどまえから繰りひろげられている情景なのかもしれない。このような事態は、翌日も翌々日も繰りかえされ、ロシア国内のほかの地域でも、なんの予告もなくバス停が撤去されているにちがいない。事態は改善されることもなく、将来にわたって永遠に繰りかえされるであろう。

車内のドタバタを見つめながら、隣の女性がそっとささやくのをわたしは耳にした。

「神様！　わたしがロシアに生まれたのは、なにかの罪の代償なのでしょうか。前世でなにか悪いことをしたからでしょうか」

哀愁に満ちた言葉に、わたしは嘆息してしまった。ロシア人たちは本当に、絶望の社会に生きているのだろうか。

それでも「ロシアは偉大」なのか

本章の冒頭で、友人が打ち明けた「ロシアを愛するのは罪なこと」という煩悶(はんもん)は、心情としては理解できる。ここまで混沌として無秩序な祖国に愛着をいだくことはむずかしいだろう。だがそれにしても、「ロシアを愛さないのは犯罪」にはなるのだろうか。

近年、プーチン政権はたしかにロシア愛国主義を強く打ち出している。

ロシアのクリミア併合に対し、欧米諸国が発動した経済制裁は今日でもロシア経済に深刻な打撃をあたえている。

この制裁に反発するプーチン政権は、国内世論を引き締めて「ロシアの一体性」を演出しようとしている。

欧米諸国とロシアの対立がロシア愛国主義を強く押し出す契機になったのは間違いないが、それよりもまえにプーチン氏は次のように発言している。

二〇一二年三月に実施された大統領選での勝利宣言のときだ。得票率六三・六%の圧勝であったが、投票日の夜一〇時ごろ、プーチン氏はクレムリンに隣接するマネージ広場の特設ステージに登壇した。まだ開票の最終結果が公表されるまえのことだ。一〇万人ほどの民衆をまえに、かれは涙を浮かべながらこう声をはりあげた。

「偉大なロシアに『ダー（賛成）』の一票を入れてくれたみなさんに感謝します。わたしたちは、公明正大な戦いに勝利したのです。だれからも強制されることなく、いかなる束縛もなく勝利したのです。……わたしはみなさんに、『わたしたちは勝利します』と約束し、そして勝利しました。ロシアに栄光あれ」

プーチン氏の絶叫に呼応するように、民衆から「プーチン、プーチン……プーチン」のコールが繰り返され、夜空にとどろいた。

プーチン氏は自分への一票を、「偉大なロシアに投票」と読みかえている。かれは自分を、「偉大なロシア」の体現者と考えている。逆にいえば自分に投票しなかった三六・四％の有権者は「偉大なロシア」を否定したことになる。

政権に批判的な立場の人間は、欧米諸国の反ロシア組織に扇動（せんどう）された裏切り者との烙印を押され、国家主権を侵害する外国の手先と見なされるのであろう。

すでに述べたように、実際、反プーチンを訴える野党政治家やジャーナリスト、最近ではナヴァーリヌィー氏のような活動家までが身柄を拘束、毒を盛られる殺害未遂事件が相次いでいる。

政敵の暗殺事件

ここで象徴的な事件に触れておきたい。

二〇一五年二月に起こった野党指導者ボリース・ネムツォーフ氏の殺害である。かれはソ連崩壊後のロシア改革を唱えるリーダーであり、エリツィン元大統領の政権下で副首相を務めた。ポスト・エリツィンの指導者に名前があがるほどの人気者であった。二〇〇〇年にプーチン政権が発足すると、ネムツォーフ氏の言動はロシア保安当局から本格的にマークされるようになった。かれは身を守るためにプーチン支持を表明したが、市民の自由が制限されることを危惧していた。

段階的に反プーチンの行動を拡大し、野党勢力の街頭集会を主催したり、二〇一一年一二月のロシア連邦下院選挙の結果に強く抗議したりした。この下院選挙では票の水増しなどの大規模な不正が暴かれ、抗議活動は三カ月後に実施されるロシア大統領選に、いわば警告を発したのである。プーチン氏が出馬を目論(もくろ)むなかで、ネムツォーフ氏はロシア保安当局から追い込まれることになった。

ネムツォーフ氏に対するプーチン政権の忍耐は、二〇一四年に限界を超えた。かれはクリミア併合を強く非難し、さらに二〇一五年二月には、親ロシア派勢力が牛耳るウクライナ東部にロシアは軍事支援していると声を荒らげた。

かれ自身、ロシア軍侵攻の秘密情報を入手したことをほのめかし、状況は一気に緊迫した。欧米派を自認し、プーチン氏と真っ向から対立するウクライナのポロシェーンコ大統領は、ロシアの干渉を強く非難しており、プーチン政権にとってネムツォーフ氏はウクライナ政権を支援する裏切り者となったのだ。

ロシア政府は表向き、ロシア軍の侵攻を否定し、個人の判断で、いわばボランティアとして義勇兵がウクライナ東部で活動しているにすぎないと発表した。ロシアは民主国家であり、私的な行動を制限することはできないといわんばかりであった。

ネムツォーフ氏は二〇一五年二月二七日の深夜、クレムリンに隣接する橋を歩いているとき、背中から銃弾四発を浴びた。その二日後の三月一日、かれはロシア軍のウクライナ侵攻に反対する大規模な集会の開催を予定していた。殺害の容疑者についてロシア大統領府は調査を表明したものの、犯行の全容は今日にいたっても明らかにされていない。主要メディアは事件を報道するが、真実を解明しない。

ネムツォーフ氏の殺害でわかったのは、ロシア領土の拡大をはかるプーチン政権を批判するのは危険なことだということである。ロシアを愛さないのは犯罪者になるどころか、命の危険にさらされてしまう。

プーチン氏は終身大統領

二〇〇〇年以降、最高指導者として君臨するプーチン氏は一般民衆の言動にも疑心暗鬼となっている。二〇二〇年七月一日に実施されたロシア憲法改正の国民投票は、民衆にとってプーチン氏への忠誠心を問う踏み絵と映ったようだ。プーチン政権は、投票を監視することで有権者の政治姿勢を探ろうとした。

憲法改正の内容をあらかじめ説明しておくならば、大統領の任期は通算二期、一二年とされた（第八一条の改正案）。つまり、一人が大統領を務めることができるのは、最大一二年であり、中断の時期をはさんでも三期目の就任は認められないとされた。

一見、長期政権に歯止めがかかりそうに思えるのだが、問題は憲法改正の効力が生じた時点の現職大統領には、新しい任期の規定が適用されないと記されていることである。つまり、プーチン氏のこれまでの任期は計算に入らないという仕掛けが施されており、最長で二〇三六年まで務めることができるようになる。プーチン氏は二〇一二年に大統領に就任しており、本来、改正前の憲法では二期一二年で迎える二〇二四年の大統領選には立候補できないはずであった（連続三選禁止）。実質、終身大統領への道が開けるのだ。

さらに憲法改正で注目されるのは、プーチン氏の神格化が本格化し、その支配に対して揺るぎのない正当性が付与された点である。ロシアは先祖が育んできた神への信仰で形成され、そして発展していく国家であると明文化された（第六七条）。プーチン氏が率いるロシアは神の国と位置づけられ、今後はより保守的な色彩の濃厚な国家体制が形成される。ロシア人は、もはや「ロシアを愛するのは罪なこと」と安易に話すことはできなくなりそうだ。というのも、祖国は神の国になるのだから。

話を憲法改正を問う「全ロシア投票」の様子に移そう。公式発表では七七・九％の賛成で改正が承認されたが、わたしの友人が七月一日の投票所の様子を撮影し、メールで送ってきてくれた。新型コロナの新規感染者数がモスクワ市内だけでも日に五〇〇〇人ほどに達する状況下での投票になり、選挙管理委員が受け付けと同時に、有権者にマス

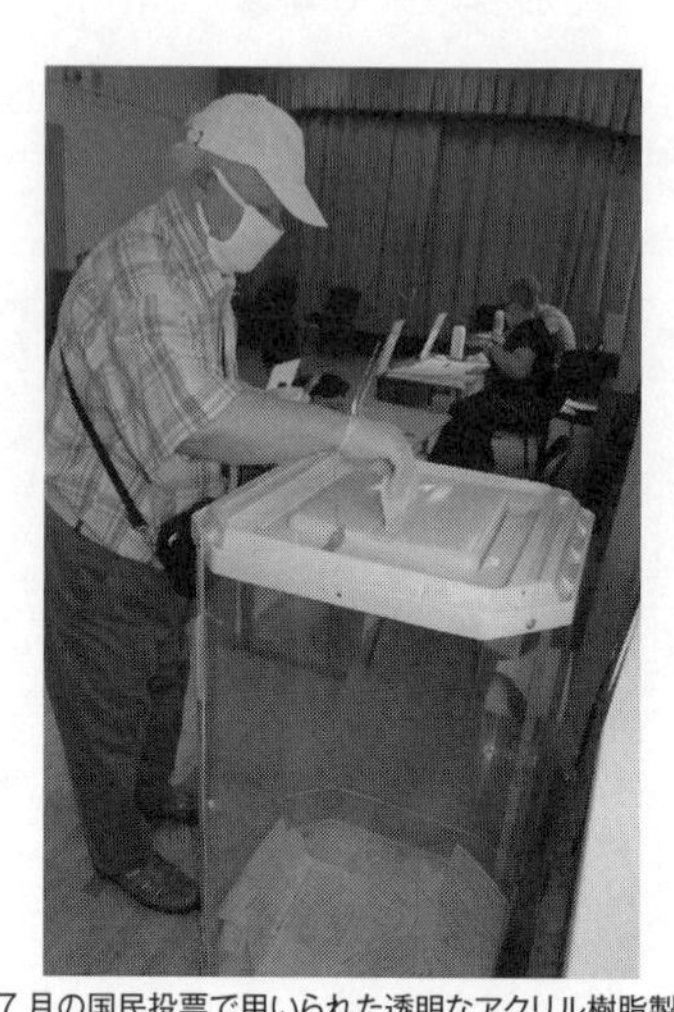

2020年7月の国民投票で用いられた透明なアクリル樹脂製の投票箱。

クと手袋、投票用紙に賛否を記入するための使い捨てのボールペンを渡した。

友人からの写真を見て驚いたのは、投票箱が透明なアクリル樹脂で作られていることである。箱のなかが丸見えなのだ。投票用紙はB４のサイズであり、遠目にも賛否の「レ点」を入れる箇所が一目瞭然(いちもくりょうぜん)である。選挙管理委員は学校教師や医師などが務めており、有権者の顔と名前をふだんからよく知っている。だれが反対票を投じたのか、すぐにわかるのである。

いわば、投票が公開裁判の様相を呈しているのだ。

しかも、有権者が投票の秘密を守るために投票用紙を折って入れることすらできない。投入口は細長くてとても狭く、折りたたむと入らないからだ。それでも折って投票すると、その場で反対票を投じたことが疑われてしまう。

ロシアでは現在、無許可の集会に参加すると、三〇万ルーブル（約六〇万円）の罰金が科せられる。二〇一二年六月の連邦議会で法案が採択され、従来の最大五〇〇〇ルーブル（約一万円）から一気に引き上げられた。実質的に、反プーチン集会は封じられてしまっている。

ロシア人は荒廃した社会に埋没し、ときには政治的な抑圧も受けながら、絶望のロシアに生きることの不幸を嘆く。それでも、祖国の実態とは対極に輝く理想や幸福を追い求めている。

現実があまりにもおぞましいので、だからこそ生きる意味を真正面から問いかけ、たえず自分とロシアの距離感を探るのである。

ロシア社会という大きな器のなかで、小さな個人の営みを見つめているロシア人の姿。わたしはかれらを、見守ることしかできなかった。

第八章　ロシアの二枚舌外交――ウラジオストクの北朝鮮労働者

一本の電話からはじまった

二〇一八年八月九日の昼過ぎ、わたしの自宅の電話はロシア極東の拠点ウラジオストク市とつながっており、受話器の向こうからは、はずんだ声が聞こえてきた。

「朝鮮人は、自国で内装の技術を学んでから、ロシアにやってきています。北朝鮮労働者だからといって、粗末な仕事というわけではありません。それに、なんといっても良心的に働いてくれます。住人が用事で部屋を留守にしても、かれらが室内の貴重品を盗むことはないですし、休日でも働き、仕事の合間に休憩をとることもほとんどありません」

わたしはそのとき、ウラジオストク市内に住む外国人を装って、インターネットで見つけたリフォーム会社に電話していた。

怪しまれないように市内の適当な住所を告げて、浴室のリフォームを依頼してみた。前述はその会話である。

一九九一年末にソ連邦が崩壊して以降、朝鮮人のロシア極東での出稼ぎ労働が活発化しており、わたしはチャンスがあれば、かれらの実態を調べてみたいと思っていたのである。今回、わたしを突き動かしたのが、ロシア政府が二〇一九年に国連に提出した北朝鮮労働者の人数に関する報告書である。二〇一七年は三万二三人が働いていたが、二〇一八年には一万一四九〇人に急減したらしい。ロシア政府は、国連安全保障理事会の対北朝鮮制裁決議を遵守するために、北朝鮮労働者の半数以上を祖国に送還したと説明している。

本当なのだろうか。ロシア政府の説明を、素直に信じることができるのだろうか。北朝鮮と中国の太いパイプの陰で、欧米諸国では北朝鮮とロシアの関係強化が懸念されているのだが……。

北朝鮮労働者の働き方とは

わたしの意図を知らないウラジオストクのリフォーム会社社長の元気な声が、電話口からがんがん響いてくる。

「北朝鮮労働者は、真面目(まじめ)に働きつづけます。あなたが都合さえよければ、早朝六時半から夜一一時まで作業します。だから、内装作業を短期間で終えられるのです。それにかれらは祖国でロシア語を勉強していますので、最低限の会話が可能です。だから、いろいろな質問や追加の注文ができます」

ロシア人の社長はわたしに、北朝鮮労働者の真面目な仕事ぶりを積極的にアピールする。国際社会では北朝鮮への不信感が根強い。約束や協定を、簡単に一方的に破棄するからだ。だが、わたしたちの訝(いぶか)る気持ちとは対照的な朝鮮人の誠実な働きぶりへの高い評価にわたしは驚いた。でも本当なのかどうか、わたしにわかるはずもない。ウラジオストク市に向かう準備を進めているわたしは、北朝鮮労働者と出会えるチャンスの到来を期待するのみである。

ウラジオストク市は、日本列島と日本海をはさんだ対岸に位置している。成田空港からは、飛行機でわずか二時間半の距離にある。最近の日本では、西欧風の街並みを堪能できる一番近い街として人気上昇中だ。

ここで、ウラジオストクについて少し紹介しておこう。ソ連崩壊後に国営企業の破綻が原因で経済の瓦解が進み、いまでも人口の減少に歯止めがかからない。多くのロシア人が、モスクワやシベリアの都市部に引っ越していったからだ。

ウラジオストクをはじめとしてハバロフスクやサハリンを含むロシア極東では、ソ連崩壊時から二〇一〇年までの一九年間に一八〇万人が域外に流出し、人口が二二%も減少した。ウラジオストク市を行政拠点とする沿海地方でも、約三五万三〇〇〇人も減った。人口は一八九万人に落ち込んでいる。

ロシア極東からのロシア人の流出に代わって、北朝鮮や中国、中央アジア諸国、ベトナムからの労働者が大量に流れこんでいる。もはやロシア極東は、「移民天国」の様相だ。まるで国境線が消失してしまったかのように、外国人で溢れかえっている。

話をもとに戻すと、先の電話口のロシア男性は雄弁に、北朝鮮労働者について説明を加える。必死になって、わたしを引き寄せようとしているのがわかる。

「朝鮮人の工事代金は、とても安い。たとえばキッチンやバスルームのタイルの貼替え（はりかえ）を依頼すると、一平方メートル当たりの単価は八〇〇ルーブル（約一六〇〇円）。でもロシア人に依頼すると、三〇〇〇ルーブル（約六〇〇〇円）に跳ね上がります。だから朝鮮人だと、四分の一の料金に節約できます。住所を教えますので、直接会社にきてください。リフォームの内容を確定し、料金を相談しましょう」

わたしは近日中に会社を訪問することを告げ、そのさいに「リフォーム作業をしてくれる北朝鮮労働者に会いたい」と頼み込んだ。かれらの口から、出稼ぎの実態について聞き出したいと目論んだからだ。それを入り口として、そこから実態調査を広げたいと思った。

すると、社長は少しけげんな声に変わり、突き放すように答えた。

「わかりますか……。かれらは毎日、働きに出かけているのです。たくさんの会社から声がかかるので、暇（ひま）な時間などはありません。だから、簡単には会えません。それにかれらがどのようなスケジュールで動いているのか、わたしは知らないのですよ」

北朝鮮労働者は、安価な労働力として重宝されているようだ。電話口の様子から察するに、リフォーム会社を訪問しても、かれらに会うことは無理らしい。そういうことならば、わたしはその会社にわざわざ出向くことはないと思った。そこまで、リスクを負うことはない。

どうやら、北朝鮮労働者はロシア国内の複数の会社をかけもっており、一つの会社の専属で働いているわけではないようだ。北朝鮮労働者をウラジオストクに呼び寄せた元締めのロシア人が、市内のリフォーム会社と提携しており、受注に応じてかれらを派遣しているのであろう。

ウラジオストクと朝鮮人の結びつき

電話の翌月、九月二日の夕方、わたしはウラジオストク市に到着した。北朝鮮労働者とロシア人の深い結びつき、そしてかれらが北朝鮮にもたらす「経済的貢献」の実態を知ることができるのだろうか。

到着の翌日、市内の最大規模の自由市場「キタイスキー」に立ち寄ってみた。中国製の衣服、電化製品や近郊の農村から持ち込まれた野菜や果物が、店頭にたくさん並べられている。わたしはこの市場で、朝鮮人がなにか製品を販売しているのではないかと期待していたのだが、店員や買物客に尋ねてみても「ここにはいない」との返事ばかりで、がっかりした。ところが市内に住む三〇代男性は、わたしに得意満面にこう証言した。

「わたしの建設現場では、一五人から二〇人ほどの北朝鮮労働者が働いています。職場で、かれらがわたしたちと会話することはほとんどありません。いつも集団行動しており、ロシア社会に馴染んでいる様子はありませんね」

なんとなく、わたしは手応えを感じた。実際に北朝鮮労働者に会いたいと思い、ロシア男性にかれらがどこに住んでいるのか、尋ねた。かれは「わからない」とことばを濁(にご)す。北朝鮮労働者はロシア人にまじってふつうのアパートに暮らしていると想像していたが、そういうわけではなさそうだ。かれの口ぶりから察するに、どうやらそう簡単には朝鮮人と面会できないようである。やはり、むずかしいのか……。

男性と会話していると、市の郊外からスイカを売りにきている六〇代の農民が近寄ってきて、こう力説した。

「わたしは、朝鮮人が大好きだ。ロシアでは朝鮮人（コレエーツィ）といえば、北朝鮮の人たちのことをいう。韓国人のことではないのです」

暗い気持ちになっていたわたしにとって、この男性の唐突な一言で勇気づけられた。

ロシア人にとって、朝鮮人は必ずしも遠い存在というわけではなさそうだ。確かに朝鮮人の評判はよいようだ。かれらの仕事は、住居のリフォームだけではない。ソ連時代の荒廃した国営農場でロシア人に代わって農作業をしており、さらに森林地帯の奥深くで木を伐採したり、建設や漁業に従事したりしているというニュースをわたしは知っていた。

ロシアと北朝鮮の関係史

じつは歴史を振り返ると、もともとウラジオストクを含む沿海地方は清国の領土であった。

一八六〇年の北京条約で、清はアロー戦争（一八五六年に勃発した清国とイギリス・フランスの戦い）の終結にさいしてイギリス・フランスとの講和を斡旋したロシアの要求にそって沿海地方を割譲した。沿海地方はロシア領になったあとの一八六九年に、朝鮮半島は大水害に見舞われ、食料を求めてウラジオストクに移住する人たちが増加した。

ウラジオストク市内に「朝鮮人村」が出現したのも、この時期のことであった。

二〇世紀に入ると、朝鮮人はウラジオストク市内で三番目に多い外国人となっている。

帝政ロシア政府はウラジオストクを開発するための労働力として、朝鮮人を頼ったのである。

朝鮮人の住処に潜入

自由市場での聞き取りを終えた後、ウラジオストク市内を案内してくれているロシア男性アレクサーンドルにわたしは朝鮮人の住処（すみか）を尋ねてみた。かれのあっけらかんとした返事に、わたしは驚いた。

「わたしは北朝鮮労働者の住んでいる場所を知っています。毎朝六時ごろ、かれらの住居にミニバンで迎えにいき、三、四人を内装工事するオフィスビルに運んでいますからね」

アレクサーンドルは白タクの運転手だ。さっそく朝鮮人の住居に連れていってくれることになったが、「昼過ぎのいま、かれらがそこにいるかどうか、わからない。すでに働きに出ている可能性が高いです」と懸念を口にした。わたしは「とにかく、行ってみよう」とかれの背中を押した。

ウラジオストク市の中心部から北東に、片側二車線のヴィショルコーヴァヤ通りを一五キロほど走る。プーチン政権はウラジオストクをロシア極東の拠点として復興しようとしているが、現実にはインフラ整備はかなり遅れている。アスファルトの路面には陥没や段差が多く、一直線の道路なのに、車は低速でくねくねと曲がりながら進むしかない。

市の中心から三〇分ほど走行したところで、右手に鬱蒼（うっそう）とした森林地帯が広がってきた。しばらく進んでアレクサーンドルは信号機がない交差点を右折し、小道に沿って森林地帯のなかに分け入った。

前夜からの雨で大きな水たまりができている道は、樹木が茂っているので日中でも薄暗い。坂道を約一〇分のぼると、道を覆っていた樹木がなくなり、道は行き止まりになった。そこには小さな体育館のような建物があり、まるで秘密基地のようだ。

アレクサーンドルは「ホラ、この建物に朝鮮人が住んでいるんだよ」と告げた。かれは車内に留まり、ラジオから流れるポップ・ミュージックの音量を上げた。

わたしは階段を駆け上がり、正面玄関のドアーを開けて中へ入った。鼻をつくような酸っぱいにおいが漂っており、思わず息を止めてしまった。少し奥に進んだところで、ロシア人の内装作業員と出会った。

「北朝鮮労働者は、どこにいますか」

「ここにはいない。玄関から出てすぐ左手に青色のトタンのフェンスがあります。そこに小さなドアーがあるので、そこから入ってください」

ロシア人は身ぶり手ぶりを交えて、わたしが行くべき方向を指し示した。フェンスは高さ三メートルほどで、その前には机やベニア板などがうずたかく打ち捨てられていた。まるでバリケードのようにも見える。フェンスの左手に薄い青色の箇所があり、そこが入り口のようだ。鍵がかかっておらず、ドアーを押して入ると、すぐに左手に半地下に降りる鉄製の階段がある。

そこを一〇段ほど下ると、建物の脇にあたるところにまたドアーが設置されている。どうやら、この先が北朝鮮労働者の暮らす住処のようだ。これでは、ふつうの人は見つけることができないだろう。

鉄製のドアーを開けて入ると、薄暗い小さなホールが設けられており、三つの部屋のドアーが見えた。この部屋のなかに北朝鮮労働者が暮らしているようだ。わたしがドアーをノックしてみようと思ったところで、一人の男性が急に部屋から出てきた。あわて

北朝鮮労働者の住居への出入口（左手の奥）は廃材の捨て場の奥に隠蔽されていた。

て声をかける。

「北朝鮮からきましたか」

「あなたは、だれですか……。ここから出てください」

「わたしは日本人です。何人で暮らしていますか」

「あなたには関係ないことでしょう……早く去ってください」

　身長一メートル六五センチほどの男性の頭髪は刈上げで、やせ細っており、年齢は三〇代であろう。真剣な目つきで、わたしを追い払おうとしている。眉間にしわを寄せた険しい表情から、わたしへの不快感は十分伝わってくる。でもわたしは、とても不思議な感触を受けた。

かれは右手のひらをわたしの肘に当て、階段に向けて追い返そうとするのだが、こちらにはまったく力が伝わってこない。むしろ逆に、手のひらのふんわり柔らかく温かい肌ざわりにびっくりした。本当にわたしを拒絶しているならば、もう少し乱暴に振る舞ってもよさそうなのだが……。

いったい、どういうことなのだろうか。栄養不足のあまり、腕に力が入らないのか、それともまさかわたしに「日本に連れて帰ってください」と哀願する気持ちがあるのだろうか。もちろん、真意をただすことはできなかった。

わたしはなんどもかれからウラジオストクでの生活の実態を聞き出そうと粘ったが、かれは「出て行ってください」と繰り返すばかり。

かれはとうとうポケットから携帯電話を取り出してだれかに連絡を取りはじめた。わたしは説得をあきらめて、足早に階段を上がり、建物の正面玄関に戻った。

車のドアーを半開きにして運転席で音楽を聴くアレクサーンドルは、わたしの方を振り向き、「どうだった」と一言発した。わたしがかれに様子を報告しているときだった。猛スピードで進入してきた車が、建物のまえの小さな広場で急停止した。体格のよい男性が車から飛び出してきて、ロシア語で「どいつだ……」と怒鳴りはじめた。

どうやら、朝鮮人からの連絡を受けてロシア側の元締めが駆けつけてきたのである。かれの大声が響きわたると同時に、アレクサーンドルはわたしをすぐに車内に押し込み、車を急発進させた。

そのロシア人が車に乗り込みわたしたちを追いかけてくるのを、アレクサーンドルはバックミラーで見ながら「たいへんなことになった」と真っ青な顔。全速力で右折、左折を繰り返し、後続車を振り切ろうとしている。さすがにアレクサーンドルは道をよく知っており、どうにか難を逃(のが)れることができた。果たして、あの住居の北朝鮮労働者は、闇労働だったのだろうか。

人道支援する朝鮮系ロシア人

わたしは翌日、沿海地方を統括する「朝鮮協会」会長のヴァレンティーン・パク氏と面会した。朝鮮系ロシア人のかれはプーチン政権に通じており、ロシアと北朝鮮の「パイプ役」をになっている。

朝鮮協会は二〇一八年五月に、人道支援と称して食料を緊急輸送している。日本人と面会するのは初めてだといいながらも、北朝鮮労働者の実態を教えてくれた。

「ロシア企業は月給として北朝鮮労働者一人当たり、平均して六万ルーブル（約一二万円）ほどを支払っています。ただ詳細をわたしは知りませんが、労働者の手取りは一万ルーブル（約二万円）のようです。でも、祖国で暮らすには十分なお金です」

パク氏は、ロシアと北朝鮮の具体的なやり取りについて言明しなかったが、月給の大半を北朝鮮政府が徴収しているのは間違いないようだ。アメリカのウォール・ストリート・ジャーナル紙は、「北朝鮮の労働者は金政権に年間で最高二〇億ドル（約二二〇〇億円、一ドルを一一〇円で換算）の収入をもたらしている」（二〇一八年八月二日付）と報じている。

国連による北朝鮮への制裁強化

北朝鮮は二〇一七年七月と一一月、大陸間弾道ミサイルの発射実験に成功したと発表。九月には水爆と見られる実験を断行した。国際社会は猛反発し、一二月に国連安全保障理事会は厳しい経済制裁を全会一致で採択した。賛成にまわったロシアや中国が制裁決議を遵守すれば、北朝鮮の経済は疲弊（ひへい）し、体制崩壊も現実味を帯びるはずだった。

しかし、先のウォール・ストリート・ジャーナル紙は、「ロシアが新たに多数の北朝鮮労働者を受け入れ、国連安全保障理事会の制裁決議に違反している恐れがある」と報じ、「昨年（二〇一七年）九月以降、一万人以上がロシアで新たに登録された」と伝えた。

ロシア政府は国連の経済制裁に基づいて北朝鮮労働者の受け入れは減少傾向にあると発表しているが、どうやら〝二枚舌外交〟を展開しているようだ。

朝鮮半島ビジネスを狙え

プーチン氏が大統領に就任した二〇〇〇年、かれが外交デビューの舞台の一つとして選んだのが北朝鮮だった。北朝鮮が抱えるロシア（ソ連時代を含む）に対する累積債務は一一〇億ドル（約一兆二一〇〇億円）もあり、その軽減について協議の末、ロシア連邦議会は二〇一四年、累積債務の九〇％を帳消しにすることを承認した。

それと引き換えにウラジオストク市に隣接する北朝鮮の羅津港（らじんこう）の使用権を獲得、また二〇一三年には羅津港とロシアは一本のレールで繋がった。ロシアは新たな不凍港を取得し、シベリア産の石炭などを一年中アジア諸国に輸出できるようになった。

プーチン氏が不凍港の取得以外にもロシア極東に力を入れているのには、もう一つ理由がある。天然ガスをめぐるエネルギー利権である。

サハリン北部で採掘されている天然ガスのパイプラインは現在、ウラジオストクまで敷設されているが、プーチン氏の構想では、さらに北朝鮮から韓国、また中国東北部に延長し、莫大なエネルギー利権を得たいのだ。

北朝鮮側にもメリットがある。電力不足を解消できるだけではなく、韓国と中国へのパイプラインを流れる天然ガスの通過料を徴収できる。つまり、大きな外貨収入になるのである。

韓国にとっても、メリットは大きい。タンカーによる液化天然ガスの輸送に代わって、ロシア産天然ガスをパイプラインで輸入できれば、電気料金は今よりも四〇%も安くなると試算されている。

さらには朝鮮半島とロシアを結ぶ高速道や鉄道網を整備する計画があり、そこに中国が加わる計画が進行中だ。ロシア、中国、そして非核化をめぐって対米不信を強める北朝鮮などの反米勢力の台頭が浮き彫りになってきている。さらに北朝鮮との融和に前のめりの韓国。

わたしたちはロシア、北朝鮮、韓国、さらに中国も加わる、「不可解な同盟」に潜(ひそ)むたくらみをしっかり見極めていくことが大切だ。

まさに、日本外交の真価が問われている。

第九章　モスクワのわるいやつら――さもしさがあふれる都市

すぐに破棄される約束

「料金は三五六〇ルーブル（約七一二〇円）です」

「それはダメです。約束を守ってください」

料金を告げるタクシー運転手に、わたしは思わず語気を強めた。約束と違うからだ。二〇二〇年一月四日、タクシーでモスクワ都心から北西の方向に三〇キロ離れたシェレメーチエヴォ空港に着いたときのことだ。

運転手は五〇代くらい、太っているために運転席のシートの背もたれをかなり後方に倒している。そうでなくても灰色のごわごわしたツイードのコートを羽織（はお）っているので、とても窮屈（きゅうくつ）そうでハンドルを握る手もおぼつかない様子だ。

モスクワ都心から少し離れたホテルで、わたしは家族といっしょに新年を迎えた。その帰国のさいの出来事だった。スーツケースが三個あるので、ホテルのフロントで、荷室が広めのワゴンタイプのタクシーを手配した。

ただ、来たタクシーに積んでみると、スーツケースの一部が後部座席に飛び出し、わたしたちは窮屈な移動をしいられてしまった。近年の、市内の渋滞を解消するための大規模な道路整備が功を奏し、順調に五〇分ほどで空港に到着した。

車を止めた運転手は、左手でルームミラーの上あたりに取り付けられている得体の知れない黒色の器具のカバーを、カシャカシャと音を立てながら外した。音から察するに、材質は明らかにプラスチックだ。その薄暗いデジタル画面に、「三五六〇」という数字が表示されている。

わたしは思わず、尋ねた。

「それは、なんですか」

「料金メーターです。走行距離に応じて、正確に料金を割り出しています。この額を支払ってください」

運転手は当然といわんばかりに、いかつい顔をして迫るのだ。その器具を観察すると、メーターとは思えないほど粗末な作りである。それに、そもそもホテルを出発したさい、運転手は賃走スイッチを入れておらず、空港に到着したときにも精算ボタンを押していない。なんのために、画面をカバーでおおっていたのであろうか。本物のメーターならば、隠す必要はないはずだ。わたしには、その器機はキッチンタイマーのように見える。はなからわたしたちを騙すために、数字を打ち込んでいたに違いない。わたしはこう言い返す。

「あなたがホテルに迎えにきてくれたとき、あなたとタクシーを手配したコンセルジュ、そしてわたしの三人で、料金は三〇〇〇ルーブルと約束しました。たとえ渋滞が発生し、どんなに所要時間が長くなっても、あなたは超過料金を求めないと約束しました。あなた自身が『一切、ありません』と明言した。それなのに……。余計な五六〇ルーブルは、いったいなんの追加料金ですか」

わたしかに五六〇ルーブル（約一一二〇円）は、それほどの金額ではない。だから、わたしはチップだと思ってあきらめることもできる。でも、納得できない。なぜかれは約束を一方的に反故にするのか、その理由をわたしは質したいと思った。

わたしの詰問に、運転手はこう繰り返す。

「自分が当初、予想していたよりも、距離が長かった。わたしたちは走行時間についてどんなに延びようとも追加請求しないことになりましたが、距離についてはなんの合意もしていません。メーターは、距離に応じて加算するシステムです。これが、新しい請求金額です」

「でも、わたしたちは約束しましたよね。いかなる追加料金も求めないって……」

「こんなに長い距離を走行するなんて、予測できませんでした。乗車時間以外の追加料金は、わたしはあなたに要求できるのです」

　わたしの頭のなかでは、渋滞に巻き込まれると、かなりの時間を要する、だから、高額をふっかけられないように走行時間に関係なく、いわば定額に決めたいと思ったのだ。距離については、たしかになにも取り決めなかった。

　飛行機の搭乗手続きの開始時間が迫るなかで、わたしはやむを得ず、かれの要求をのむことにした。もちろん、納得はしていない。わたしは料金を支払う代わりに領収書を要求したのだが、かれは「持ち合わせていない」とニヤリと笑う。結果、わたしの敗北に終わってしまった。

約束するにはその条件を確定すること

わたしがロシア人同士の会話でよく耳にするのは、約束を守らなかったことをめぐるモメ事である。時々というよりも、「とても頻繁」に聞く。人間関係に亀裂(きれつ)が走り、罵(のの)り合う場面も、なんども目撃している。

だがわたしは昔から、約束を交わすときのロシア人の大げさな表現が気になっていた。

「わたしは約束を、厳粛(げんしゅく)に守ることを誓います」

このことばを聞く限り、忠実に決め事を実行してくれるものと信じてしまう。少し違和感を抱きながら、「こんなに大げさにいってくれなくてもよいのに」と感じることがあった。

いまから考えると、一瞬、誠実さが伝わるかのような言葉だからこそ、相手を信用してはいけないということなのだろうか。

それにしても、なぜ運転手は約束を反故にしたのだろうか。わたしが「約束と違う」と指摘しても、逆に運転手はわたしを責める。

「なぜ、あなたは距離について言及しなかったのか。不満を口にするならば、乗車するまえに確認すべきであった」

かれはこう巻き返し、わたしを悪者のように仕立てるのであった。

こうした体験から、わたしは気づいたことがある。

ロシア人となにか約束をするときには、その内容だけではなく、前提条件について徹底的に確認しておかねばならないということだ。

つまり前提条件によって、合意内容がどう変更されるのか、逆にいえば、あらゆる状況を想像して、条件を詰めておいてから承諾すべきだ。約束そのものよりも、約束が成立する条件がポイントなのである。

そうはいっても、ロシア人はなにかにつけて難癖をつけるかもしれない。「なんでもよいから、まずは適当に約束しておこう」、そしてそのあとに、隠し球のように状況（条件）の変化を言い立てて、自分に有利な結果に導くことを目論んでいるのであろう。

身も蓋（ふた）もないが、わたしが思うに、ロシア人とはなるべく約束しないのが正しい付き合い方である。相手を信頼しても、最終的に期待は裏切られ、悲惨な結末に落胆することになる。ロシア人とはなにも約束しないほうが、むしろ、かれらと楽しく過ごすことができる。

善意につけ込むロシア人

二〇一八年二月のある日、こんなひどい目にあった。

午前一〇時過ぎに、わたしはホテルから閑散とした町に出かけた。気温はマイナス五度ほどで、薄日が差して厳冬が少し和らいできた気配を感じとった。日曜日ということで、車も歩行者もまばらだ。わたしは、ボリショイ劇場の正面を東西に走る大通りをくぐる薄暗い地下道を歩いていた。地下道のなかは湿気を含んだ生暖かい空気に包まれており、わたしは少しデコボコになっている路面に気をつけながらまっすぐ進んだ。

地下道の出口から光が差し込んでおり、わたしは前方になんとなく目を向けた。ゆっくり歩く男性の後ろ姿が、目に入った。その通行人は、分厚い黒色のコートを着ており、ポケットに両手を入れているように見える。ごくふつうの身なりで、わたしは特に気にも留めなかった。

すると突然、ビニール袋がかれのポケットからパシャッと音を立てて路面に落ちた。わたしは思わず目を凝らすと、袋のなかに無造作にたたまれた一〇〇ドル札が数十枚入っている。男性は、気づかない様子だ。

わたしは反射的にビニール袋を拾い上げて、かれの後を追った。

「お金を落としましたよ」

男性は振り向き、笑顔を浮かべて感謝の言葉を口にした。当惑しながらも、表情からは安堵の気持ちが伝わってきた。わたしも咄嗟の行為であったけれども、手助けできてうれしく思った。

だがその直後、事態は急変した。かれは眉間にしわを寄せて、もう片方のポケットを探りながら、わたしを睨みつけて声を荒らげた。

「あれっ……。あなたは、もう一つのビニール袋を見ませんでしたか。同じようにドル札がたくさん入っていました」

「えっ、何のことですか。わたしが拾ったのはこの袋だけです」

「そんなはずはない。あなたは隠しているのでしょう。泥棒。泥棒だ」

男性がわたしを指差しながら大声で叫ぶと、四人の体格のよい通行人が足早に近寄ってきた。

どの男性も黒色のコートを羽織っており、毛糸の帽子を目深にかぶっている。顔が見えないように、隠しているように思える。かれらはわたしの声を無視し、口々にまくし立てた。

モスクワ都心にある「ロシア連邦保安庁」の重厚な本部。

「ポケットにビニール袋を入れるのを見たぞ」

「親切心を働かせておいて、盗むなんて最悪の人間だ」

「ルビャーンカに行ってから話を聞こう」

　ルビャーンカとは旧ソ連国家保安委員会（KGB）、現在のロシア連邦保安庁（FSB）の代名詞だ。本庁の豪奢な黄色の建物が、ルビャーンカ広場に建っていることに由来する。この地下道から徒歩で一〇分のところにある。

　かれらはグルだったに違いない。わたしを脅し、ポケットに入っているわたしのお金をせしめようとしたのかもしれない。そのお金は、落とした男性のものだと。または、かれらはわたしを保安庁に連れて行って、さらに不安を煽(あお)ってなにかをたくらんでいたのかもしれない。

わたしは、いつもポケットに携帯電話を入れており、なにかあれば、日本大使館に通報できるようにセットしている。わたしが「大使館に電話します」と声を絞り出すと、五人の男たちはバラバラに立ち去っていった。こうしてわたしは、窮地(きゅうち)を逃れることができた。

それにしても、人間の善意を逆手にとって、一瞬にして恐怖に陥(おとし)いれる。その瞬間、わたしに限らず人間はまともな判断をくだすことができないほどに頭が混乱する。なにが自分の身に起こっているのか、理解できない。

ここで大切なことを、わたしは学んだ。ロシアでは困っている人を見つけても、辺りを見まわし、慎重に対応すべきだということだ。善意のままに、突っ走らない方がよいだろう。善意につけ込む悪い奴らに、狙われているかもしれない。

賛美される他力本願の生き方

ところで、わたしはモスクワ滞在中、スーパーに立ち寄って食料品を買うことが多い。

ただ、ソ連時代から、レジの店員には細心の注意をはらってきた。紙幣を差し出すと、お釣りをごまかすことが多いからだ。買い物客から小銭を巻き上げるのだ。とくに外国人は標的にされやすい。

露骨に「お釣りがないので、チューインガムをあげるね」と一、二枚を渡されることもたびたびある。どれほどのお釣りが、チューインガムに化けたのか、まったく説明はない。スーパーで買い物するときにいつも目撃するのが、レジの脇にある箱入りのチューインガムだ。箱は開けられた状態で、ガムがバラバラと散らばっている。チューインガムはスーパーに限らず、書店でも薬局でも置かれている。

たとえば、わたしが店員のまえに突っ立ってレシートとお釣りを見比べながら、チューインガムに置き換えられた額を確認しようとする。店員はわたしの後に続く客に「さあ、次の人」と声をかける。低い声は、まるでわたしに早く立ち去るように強要しているように響く。

かりに店員が一人から一〇〇円ほどのお釣りを巻き上げ、一日に五〇人の客を担当すれば、単純に五〇〇〇円になる。月に二〇日働くとすれば、一〇万円の副収入。月給を上回るほどの大金を手にできるというわけだ。だからレジ担当の仕事は、ロシア人のなかでも密かな人気職種であった。

でも近年、レジの自動化が進んでいる。商品の一つひとつにバーコードが貼り付けられており、レジの店員は機械でそれを読み取らせる。ロシア人の客を見ていると、ほとんどがクレジットカードで支払っている。もはや現金で支払う人は、一割もいない。それほどに、急速に自動化が進んでいる。

この動きが拡大すると、店員は以前のようなピンはねは不可能だ。わたしもクレジットカードを使用し、買い物のストレスはすっかりなくなった。しかも最近の店内には、食料品の値引きの表示がやたらと目につくようになり、うれしさが倍増している。三〇%から五〇%引きの対象になる商品がズラッと並んでいる。

以前は食料品の値引きはほとんどなかったので、ある意味で品質管理がきちんと行われるようになったのか、それとも客集めのためにセールをするようになったのか、いずれにしても欧米流のビジネス化の波が確実に広がっている。

モスクワ滞在中の二〇二〇年二月二二日、ホテルに隣接する食料品のスーパーに立ち寄った。店内にはワインをはじめとしてさまざまな食料品の棚に「三〇%引き」という赤字の表示がつけられている。わたしは定価の天然水やハチミツ、チョコレート、黒パンに加えて、半額になったチーズも買い物カゴに入れた。わたしが好きなチーズは、モスクワ市郊外の農家でヤギの乳から製造されるベーグルの形をした柔らかいカッテージチーズだ。

いまではレジに行列が発生することは、すっかり少なくなった。これも、バーコードとクレジットカードの決済が普及しているからだ。

わたしは「レジ袋は不要です」と答えて、合計金額一〇五〇ルーブル（約二一〇〇円）をカードで支払った。ホテルの部屋に戻り、バッグから品を取り出して黒パンとチーズを食べた。そのあとにチョコレートを取り出すと、先ほどのレシートもいっしょに出てきた。

何気なくレシートに目を向けると、チーズの価格が思ったよりも高いのに気づいた。スーパーはホテルの隣にあるので、価格を確認するために再度足を運んだ。冷蔵庫で販売されているチーズには、たしかに「五〇％引き」と表示されている。でも、手元のレシートに打ち込まれた価格は割引になっていない。騙されたのだろうか。

店員に尋ねてみた。

「三〇分ほどまえにチーズを買いました。ホテルでレシートを確認したのですが、セール品なのに、値引きされていませんでした。差額を返金していただけますか」

「チーズは、どこにありますか」

「ホテルにありますが、少し食べてしまいました」

「それはとても残念ですが、店では差額を返すことはできません。返金を受けるには、まず未開封の品物を持ってきてもらい、それと引き換えに支払った全額を返します。そのあとで、値引き価格を支払ってもらうことになります。ですから開封されてしまった品に対して、返金することはできません」

わたしがとても悔しい表情を浮かべていたのか、店員はわたしにこう尋ねた。

「チーズは美味しかったですか」

「もちろんです」

「では、それで満足ですね。もし美味しくなかったならば、返金してもよかったのですが……」

ということで、あえなく引っかかってしまったのである。

それにしても、割引と宣伝しておいて、正規の値段のバーコードをつけたまま売るという悪巧（わるだく）みに翻弄されてしまうとは……。

店内のあちこちに「割引」と表示されているが、一つひとつの商品のバーコードは割引価格に変更されているのだろうか。

昔ならば、レジの店員に釣り銭でお金をピンはねされてしまったが、精算の自動化が進み、悪行は解消されたと思い込んでいた。見方によっては、店全体で消費者を騙すようになったのであろうか。

店員のことばを聞いて、わたしはすぐにロシア人が日常しばしば口にするフレーズを思い出した。

「他人のポケットに手を突っ込んで生きる」

ロシア人の多くはどんなに努力しても、豊かな生活を手にいれることはできない。富は特定の階層に集中しており、貧者はどんなに努力しても報われることはないと確信しているのである。たしかに所得に応じて大きく三つの階層に分けると、「富裕層」は人口の一〇%を占めるのに対して、「貧しき人びと」は全体の半分に達する。

ロシア人は、プーチン政権が自分たちの生活を本気で改善してくれることはないと思っている。

他方で一人ひとりがどんなに努力しても、その成果を得られることはない。努力しても、無駄というわけだ。

かれらがいま必要としているのは、日々の生活費なのである。その糧（かて）を確実に得る方法とは、他人のお金を巻き上げることだ。これでは、いつになっても豊かな生活を手にいれることは無理である。

第一〇章　暴走する親切心

おせっかいな親切心

もちろん、ロシアにあるのは罪深い面だけではない。これまでに述べてきた側面とは真逆の、親切心に満ちたロシアが存在しているのも事実である。

意外に感じられるかもしれないが、ロシア人の気遣いは桁外れだ。あまりに親切すぎて、「それはちょっと」と腰が引けたり、ときには不愉快にすら感じられたりする。その原因は、ロシア人に特有の過剰な思いやりである。善良さも、限度を超えると「罪」に感じてしまう。

わたしが最初に留学した一九八三年一〇月中旬のことだ。夕暮れの歩道を地下鉄の駅に向かっていると、サラサラした感じの雪が舞いはじめた。当時のわたしにとって、モスクワの初雪となった。さっそくカバンのなかから折り畳み傘を取り出した。そして、滑らないように足元に気をつけながらゆっくり歩いていた。

そのとき、わたしの前方に大きな塊のような巨体が立ちふさがっているのに気づいた。茶系の毛糸の帽子をかぶり、分厚いグレーのコートを着ている五〇代らしい女性が突然、わたしを諭すように語りかけてきた。もちろん、見知らぬ人だ。

「なぜ、傘をさしているのですか。よく見てごらんなさい。いま降っているのは雨ではなく、雪ですよ」

わたしはすぐに、彼女の真意が呑み込めなかった。わたしは雪から頭とカラダを守るために傘をさしているのに、それが間違いだというのだ。すぐに周囲の通行人に目を向けると、たしかに傘を広げているのはわたしだけだった。女性は、いぶかしむわたしに説明を加える。

「留学生なんですね。モスクワの冬は初めてですか。ほとんど水分を含んでいないので、雪が外套についても、手ではたけばすぐに落とすことができます。雪でカラダが濡れることはありません。大切なのは雪で足が滑っても、両手でバランスをとり、とっさに頭を守ることです。両手はいつも使えるようにしておかなければならないのです……」

女性の話には、終わりがない。わたしに「どこに住んでいるのか」「どこで食事しているのか」「どんな友人がいるのか」と矢継ぎ早に質問するのだ。本格的な冬をまえにした栄養の摂取方法、モスクワには〝わるいやつら〟がたくさんいるので、簡単に他人を信じてはいけないなど、細かな注意点をあれこれと言い聞かせるのであった。

　わたしからすれば、急にたくさんのアドバイスを聞かされても、ほとんど頭に残らない。「たくさん喋るのは、なにもいっていないのに等しい」とはロシアの友人の教えなのだが、まさにその意味がリアルに理解できた。そうはいうものの、彼女の真剣な目つきから察するに、わたしへの親切心を全開にしていることはよくわかる。

　ロシアでは、とくに年配の女性に多いのだが、昔から子ども連れの家族を見つければ、母親に一方的に話しかける。子どもの躾(しつけ)の仕方、食事のマナー、服装の着せ方を問い質し、母親の返答の一つひとつについてコメントする。少しでも違和感を抱くと、説教をはじめる。本人は真心から忠告していても、相手の母親からすれば干渉でしかない。

　若い女性が公園のベンチで「なるほど、そうですか……」と焦点の定まらない目つきで相槌を打つ姿を、わたしはなんども目撃してきた。気の毒に思いながらも、こちらは第三者の立場なので微笑ましい光景だと感じる余裕があった。

欧米スタイルを崩すロシア流の親切心

ロシア人の親切心には、予期せぬときに遭遇する。二〇一三年一月三日の出来事だ。欧米の高級スーパーを手本にするモスクワ市内の食料品店は、品物が整然と並べられ、彩りも鮮(あざ)やかだ。ソ連時代のスーパーは棚から品物がはみ出し、果物や野菜にしても、大きなカゴのなかに無造作に積まれている、もっと正確に形容すれば投げ捨てられているような悲惨な光景であった。店内の雰囲気もモノトーンであったのに、いまでは高級店は清潔で、ショッピングを楽しめるように創意工夫しているのが見て取れる。

わたしはその日、ドライフルーツを求めて立ち寄ったのだが、あまりの種類の多さに困ってしまった。中央アジアやトルコなどを産地とする大粒のイチジクやプルーン、キウイ、アプリコット、デーツなどが色彩豊かに並べられ、その横のコーナーでは多種多様なナッツ類がぎっしり透明の箱に詰められている。量り売りらしい。

わたしがどれを買うか決めかねていると、赤紫のユニホームを着た四〇代くらいの女性店員が笑顔で話しかけてきた。

「なにか、お手伝いしましょうか」

「ドライフルーツが欲しいのですが、どれが美味しいのでしょうか。迷っています」

するると、店員はわたしの横で腕を組み、いっしょに考えてくれる。そして突然、手を伸ばしてスライスされたマンゴーが詰められたパッケージをとると、パキッパキッと音を立てながらこじ開けはじめた。そして微笑みながら、わたしに差し出す。

「大きなマンゴーを取りなさい。とてもジューシーで、甘いですよ」

なんと、売り物のパッケージを開けて試食をすすめてきたのである。さすがに、わたしは躊躇した。ビクビクしながらも、一切れつまんだ。たしかに濃厚な味で、とても美味しい。わたしの感激の声に、店員はこう言い足した。

「それはよかった。さあ、もっと食べなさい。もっと大きいマンゴーを食べなさい。それよりも……こちらの方が、色がきれいですよ」

もはやわたしは、彼女の親切心に断れない圧力を感じとる。さらに三切れを口に入れた。わたしが「もう大丈夫です」というと、彼女は満足そうに微笑んだ。でも、わたしは内心、ドキドキしていた。店員がわたしに、買うように押し付けてくるのではないかと心配だったからだ。でも、杞憂に終わった。彼女は器用にパチン、パチンと音を立てながらパッケージの蓋を閉じる。そして陳列棚に戻すのであった。

店員が去ったあとに、わたしはこっそりとパッケージを確認した。貼り付けられているシールには、「内容量二二〇グラム」「価格四五〇ルーブル（約九〇〇円）」と記されている。だが、このパッケージのなかから四切れを抜き取ったので、重さは確実に減っており、価格は内容量を反映していない。この商品を買う人は、だれも表示のシールが中身の量を正確に表示していないことを知るはずがない。まわりのパッケージと比べると、量が少ないように見えるのだが、値段とのズレに気づくことはないだろう。

いずれにしても、店員はわたしを相手に過剰な親切心を発揮（はっき）したのである。このような親切心は、ロシア人に特有の性質によるところが大きい。モスクワのような大都市では、欧米化の波が押し寄せているが、まるでそれを打ち消すかのように、個人を相手に全開になるロシア人の善良さが日常的に姿を見せるのだ。欧米化が進めば進むほど、昔と変わらないロシア人の気質がにょきにょきと顔をのぞかせるのだった。

店員の親切心は、ロシアの進化にとって、もはや「罪」だろう。

注意はするけど、お好きなように

ロシア人の狡猾ともいうべき親切心に驚愕してしまったこともある。世界的に有名なエルミタージュ美術館を訪問した二〇一一年一二月三一日のことだ。レオナルド・ダ・ヴィンチが描いた「ブノアの聖母」（一四七八～八〇年に制作）がケースのなかに展示されているのを、わたしは見つけた。

この作品は「聖母と花を持つ子ども」と呼ばれることもあり、ダ・ヴィンチが画家として独立し、はじめて描いたものといわれている。二七歳前後の作品で、世界的に人気が高い。一九一四年以降、エルミタージュ美術館が所蔵している。サイズは、縦四九・五センチ、横三三センチ、額の左右には古代ローマの神殿を支える門柱のような形状の二本のポールがはめられている。

じっくり鑑賞していると、わたしはどうしてもデジタルカメラで撮影しておきたいという衝動にかられてきた。ほかにも回りたい展示室があるので、いつまでも立ち止まっているわけにはいかない。

館内は当時、撮影が禁じられていたが（二〇一五年四月一日以降、商業目的以外の撮影は自由）、せっかくの機会なので、思い切って展示室の隅で鑑賞者を監視している五

著者が訪れ、「ブノアの聖母」に巡り合えた「エルミタージュ美術館」。

〇代くらいの女性に尋ねることにした。

「どうしても、あの絵画を撮影したいのですが、ダメでしょうか。日本からきたのですが……」

「館内の撮影には、許可が必要です」

「エルミタージュ美術館が発行しているカタログには写真が掲載されていないのですが、わたしがとても気に入っている絵なんです。ただ、許可をもらうだけの時間の余裕がありません」

監視員はわたしの話を聞きながら、パイプ椅子(いす)から立ち上がる。そしてわたしの肘に手を添えながら、中庭をのぞむ窓のほうに誘いだす。展示室内には一〇人ほどが鑑賞しており、みな絵画に見入っていてとても静かだ。天井の四カ所に監視カメラが設置されている。女性はわたしの耳元でこうささやく。

「よく聞いてください。わたしはこのあと、椅子に着席しますので、あなたは展示品にむかって歩いて行きなさい。そして、カメラを絵画にむけてください。わたしは大声で『撮影は禁止です』と親指をたてながら、大きな声をあげます。その直後、すぐにあなたに背をむけて隣の展示室の方向にゆっくり歩きます。その間に、あなたは好きなだけ撮影すればよいのです」

なんという奇策。突然の提案に、わたしは心底、驚いた。わたしがカメラを構えて絵画に近寄ると、たしかに女性の大声が響きわたる。

「撮影は禁止されています」

展示室内の静寂を破るかん高い声だ。事前の約束があるといえども、ロシア国内、しかも世界有数の美術館内での出来事に、わたしはゾクッとする。じつは、わたしの身柄を拘束するために仕掛けた罠ではないか。彼女が立ち去るなか、わたしの背中には緊張が走り、カメラで撮影しながらも、周囲の気配が気にかかった。

ただ、室内の来館者はだれ一人として気に留める様子を見せない。一〇秒ほどの間に、わたしは角度を変えながら、五回ほどシャッターを切ることができた。絵画を覆うガラスが光を反射するので、なかなかうまく撮れなかった。でも、一枚だけきれいに撮れた。

女性は一呼吸おいてから、元の椅子にゆっくりと戻ろうとする。わたしは声を出すことなく口パクで「ありがとう」と感謝の気持ちを伝えると、職員は右目でウインクしてくれた。「撮影できてよかったね」という返事なのだが、わたしはロシアで生活するための知恵を授かったような気がした。

「ロシアで生活すると、あれもダメ、これもダメ、窮屈に感じるだけではなく、ロシアに不信感をいだくようになります。たしかに制約が多すぎますが、それでも乗り越える方法があります」

このようなメッセージを、わたしは女性の表情から読みとった。

じつは、エルミタージュ美術館と同様な経験をしたことがある。些細な出来事なのだが、モスクワ郊外の空港での場面だ。シベリアの都市に向かう国内便に搭乗するために、駐機場にバスで到着した。すると隣に、めずらしい塗装の航空機が並んでいた。

わたしが慌ててカメラで撮影しようとすると、空港を警備する女性が声を荒らげて「撮影は禁止」と叫んだ。身長は一メートル八〇センチほどと大柄で、片手にトランシーバーを握っていた。彼女の厳しい声に、周囲のロシア人たちも顔をゆがめた。でもその直後、女性はくるりと回ってわたしに背を向けた。

わたしの脇にいた男性が、そっと目配せして「いまがチャンス」と知らせてくれた。わたしはすぐに、シャッターボタンを押した。ほんの二秒ほどの出来事だ。女性はふたたび、わたしのほうを振り向いたが、なんの注意もしなかった。

女性の行為を解釈すると、職務上、注意しなくてはならないが、そのあとのことは知らない。そもそも、とくに秘密にしておかなければならない軍用機でもない。まるで「あなたを見ないようにするから、その間、お好きなように」といわんばかりなのである。


ロシアでは、警備員が注意するときの態度は、妥協の余地のないほど厳しく、紋切り型の言い回しに終始する。でも制止されたときこそ、チャンス到来の可能性があるということだ。わたしたちは、かれらの声の大きさに怯むことはない。素直にあきらめることもない。

むしろ、怒鳴り声が大きければ大きいほど、身構えなければならない。大切なのは、注意した人がその直後に、どのように行動するかである。背を向けたり、視線をそらしたりする場合は、許可の合図と捉えることができる。

本当に「ダメ」というケースでは、ロシア人は注意した後に背を向けることはない。その見極めが大切なのである。

終章　絶望のロシア

不条理の国

二〇一九年一二月二八日、わたしはロシアで新年を迎えるために、成田空港からモスクワ近郊の空港に降り立った。一〇時間を超えるフライトに疲れていたが、経験上、ここから入国にむけての試練がはじまる。

空港ビル内の長い通路を一〇分ほど足早に歩くと、少し広い空間に突き当たる。丸天井から白い蛍光灯の光が降りそそぐ入国審査場だ。

入国手続きのためのエリアが、三つに分けられており、左手の隅は航空関係者、その横はロシア国籍の再入国者、右手が外国人用だ。ロシア国籍者と外国人のエリアの間には両者を遮るための鉄製のガードが設置されており、かなり手前から二手に分かれる。

テロ対策から外国人には厳しい入国審査が行われるので、ふだんから行列ができるのだが、その日は年末ということもあり、順番を待つ長蛇(ちょうだ)の列ができていた。もともと五つの窓口が設けられているが、なぜか三つが稼働しているだけだ。それぞれの窓口にむかって、八〇人ほどが並んでいる。審査官はボックスのなかに座り、一人ひとりの外国人とガラス越しに向き合う。パスポートを機械で読み取り、申請者の顔をパスポートの写真と照合する。問題がなければ、最後にガリガリという鈍い音を立てながら、入国カードに氏名や国籍などを印字し、パスポートにはさんで手渡してくれる。

よく観察すると、入国審査には一人当たり三分を要している。わたしは先頭から数えておよそ八〇番目なので、入国までに二四〇分（四時間）待つことになる。とはいえ急いでいるわけではなく、焦ることもない。モスクワ時間は午後六時まえなのだが、日本時間では翌日の午前〇時になろうとしている。たしかに眠気が増してきている。このまま無力感に打ちひしがれて無為の苦しみに悶えながら、時間をやり過ごすのも空虚なロシアらしさを体感できる。

それにしても二つの窓口が閉鎖されているという不条理に、わたしはうんざりする。混雑ぶりに入国管理局の責任者が気づけば、すぐに対応策を練(ね)るはずだ。そのときだった。深刻な状況から先を見越して、我慢しきれない外国人の一〇人ほどが、デジタル表示で窓口の閉鎖を示す赤色の「×」印のまえに移動しはじめた。

何時間も待ち続けるよりは、いずれはオープンするかもしれない閉鎖中の窓口に期待するほうが、結果的に早く審査を終えられるという判断なのかもしれない。もちろん、なんの当てもなければ、窓口が開く気配も動きもない。そのような絶望的な状況にあって、「×」に一縷(いちる)の望みをたくすほどに状況は深刻なのだ。おそらく、ロシアをよく知る外国人なのだろう。「○」の表示よりも「×」のほうがより早いことがある。「ダメ」というサインは、見極めれば、「オッケーです」という意味と捉えることもできる。これは前章でも述べた。

状況を突破せよ

わたしは列に並びながらも、隣のエリアが気にかかった。こちらは大勢の外国人が並んでいるのに、ロシア国籍者のための再入国エリアには行列はない。閑散としており、ガラス越しに見える審査官も、暇なので周りの職員と談笑している。まるでわたしたちをよそに、行列の長さを楽しんでいるように映る。

そのときわたしは、ジャーナリストのロシア女性クセーニヤがかつて教えてくれた秘策が頭に浮かんできた。

「ロシアで生き抜くのに大切なことは、行列をいかに突破するかの知恵を身につけることです。どんなにたくさんの知識を得ても、りっぱな高等教育を受けても、ロシアではあまり役に立ちません。行列をくぐりぬけるのには、だれかに媚(こび)を売ったり、抗議したりするのは無駄です。たとえお伺いを立てても、『ダメ』と一蹴(いっしゅう)されるどころか、無視されてしまいます。とにかく、やみくもに突進することです。自力で、最悪な状況を突破することです」

彼女の忠告を実践するために、わたしは行動を起こした。さっそく並んでいた行列を離れてロシア国籍者の再入国エリアに移った。周囲の外国人たちがわたしのことを横目で見ている無言の圧力を感じたが、無視するしかない。でも、わたしにはやはり躊躇する気持ちがあるので、再入国審査を受けようとする三〇代くらいのロシア男性に伝言を依頼した。

「申し訳ありませんが、係官に外国人の入国審査を受け付けてもらえるかどうか、尋ねていただけますか」

「いいですよ。なんの問題もありません」

男性は、笑顔を浮かべて快諾(かいだく)してくれた。わたしは断られるのではないかとヒヤヒヤしていたので、ホッとした。かれはリュックを手に持ち、入国審査官のまえに進み出た。そして、わたしからの伝言を話しているのが聞こえてきた。

審査官から返答があり、かれはわたしに向かって両腕で「×」の合図を送ってきた。やはり、ダメなのか。とはいっても、元の行列に帰ったところで、最後尾に並ぶしかない。外国人が押し寄せており、行列はさらにのびている。無駄な挑戦だったのか。

そこで、わたしはだれも並んでいない同じロシア国籍者用の横のレーンに移動した。わたしは何事もなかったように、審査官のまえに進み出た。かれはわたしのパスポートを受け取り、淡々と入国手続きをはじめた。外国人の出現に驚いたり、怒ったりすることもなく、まったく動じる様子がない。それでも、わたしはドキドキしていた。かれは入国カードを印刷し、そのカードとパスポートに入国許可のスタンプを押したところで、わたしは安堵した。緊張がわたしの身体から抜けていくのが、わかった。

わたしが最後に「ありがとう」と感謝の念を伝えると、こう返答した。

「よい新年をお迎えください」

あとがき

わたしは日本に帰国しても、奇異なロシアが追っかけてきているような錯覚が続いていた。

搭乗していたアエロフロート機がそろそろ成田への着陸態勢に入ろうとしたときのこと。飛行機は、房総半島の南東沖から北西に方角を変えてまっすぐに滑走路をめざして降下したのだが、なかなか眼下に陸地が見えてこない。機体はいつまで経っても灰色の雲のなかを航行し、強風に煽(あお)られて小刻みに揺れる。

機体に揚力を得るためにフラップがウイーン、ガタガタガタと動作音をなんどもたてながら、高度一〇〇メートルあたりまで降下すると、ようやく見えてきた林は真っ白な綿帽子をかぶったかのようだ。モスクワのさらっとした雪とちがって、こちらは水分が多い。

そして、あっという間に着陸した。

「ただいま、成田国際空港に到着しました。現地時間は午前一一時二〇分です。いい天気で、気温はプラス一度です」

「エッ、まさか……」

大荒れの天気なのに、ロシア語の機内放送は「いい天気」と報じた。だから、「ロシア人のいうことなんて、信じられない」とため息をついてしまったのだが、それにしても酷すぎる。通路をはさんで座るロシアの若い女性に、わたしは嘘をただすかのような口調で尋ねた。

「外は薄暗く、激しく雪が降っているのに、なぜ『いい天気』なのですか。誤報ではないでしょうか」

「いえいえ、すばらしい機内放送でした。冬は、どんよりした空から雪が舞い、辺りは真っ白でなければならないのです。しかも、モスクワよりも気温が低い。東京の冬景色が見られるので、『いい気分』です。ワクワクします」

ロシア人が表現する「いい天気」というのは、そのときどきの季節にふさわしい空模様と温度というわけである。典型的な冬景色に、ロシア人はご満悦の表情を浮かべる。

旧知のロシア人とメールでやりとりすると、「あなたのところの天気はどうですか」と尋ねられることが多いが、要するに質問の真意は天気を尋ねているわけではなかったようだ。わたしの気分を知りたかったのであろう。あとで調べてわかったのだが、気象観測で雲量の少ない「晴天」を表すのには、「いい天気」とは別のロシア語がある。「晴天」と「いい天気」を、わたしは意識して使い分けていないことに気づいた。

ロシア人にとって「いい天気」とは「いい気分」であり、「晴天」のことではない。ロシア人と付き合うのには、「いい天気」と「晴天」といった言葉の使い分けを理解しておくとよいかもしれない。ロシア人を相手に理屈をこねまわしても、こちらが疲れ果ててしまう。

「あとがき」にいたっても、「決して信じられないロシア」のエピソードを書き連ねてしまうしつこさに、自分でも呆れてしまう。

本書に盛り込んだロシアでの奇怪な出来事は、わたしの個人的な経験にすぎず、読者がロシアに滞在したからといって、必ずしも同じような事象に遭遇するわけではない。

わたしでさえ、同じ場面に出くわすことは二度とないに違いない。一つひとつのシーンに反復性は期待できず、わたしの経験はいわばロシア社会のほんの小さな断片に過ぎないといえる。

しかし大切なことは、ロシアを訪問すれば、だれでも自分だけの不可解な一コマを体験できるということだ。一過性のオリジナルなロシアに偶然にめぐり合うことができるのだ。ロシアの手荒い歓迎に狼狽することはない。問題はその一瞬を捉え、見過ごさないことだ。「ロシアなんて、信じられない」とロシアにきてしまったことを悔やみながらも、しっかり事の顚末（てんまつ）を見据えることが大切だ。

ロシアにはわたしたちと同様に、それぞれ別の顔をもつ個性豊かな個人が生活している。社会は、一人ひとりを束（たば）ねたものとして存在しているという、そもそもの原点に立ち返る勇気が必要だと思う。このことを意識しながら、ロシア人の話の一つひとつに――多くの場合、声が大きいときに限ってインチキなのだが――それでもじっと耳を傾けると、もはや個人的な身の上話だとは片付けられないロシアの特異性が垣間見えてくる。

「朝露の一滴にも天と地が映っている」

これは作家、開高健氏の好んだ言葉である。わたしがロシアに滞在中に遭遇したエピソードは、ロシアの「天と地」を特色付ける性質を映し出しているのではないかと思っている。どんなに些細な出来事であろうとも、よくよく観察すれば、鮮やかな特性を放っていると思う。「信じられない」ロシア社会の場面にこそ、言い換えるならば、ロシアの「余計な」秘奥にこそ、ロシアの真髄が潜んでいるともいえる。

「信じられない言動」のなかに、ロシア人の生々しい喜び、怒り、醜態、堕落、そして悲しみなどの感情、ときには情動のほとばしりを感じることができる。わたしはロシア人に翻弄されてきたが、一つひとつの場面と展開に大きな驚きと発見があった。とはいえ、この衝撃でもって、わたしがロシアをより好きになったり、より嫌いになったりすることはなかった。

ただし、ロシアの日常的な現実の深奥に潜む悲劇的な矛盾と不調和を見つめてきたおかげで、わたしはロシアに限らず日本でも平凡な日常生活の尊さに気づくことになった。

凡庸な日々の大切さをわたしが再認識したのは、二〇二〇年二月にバトゥーリン氏から、ロシアがアメリカに核ミサイルを危うく発射しかけていたという秘話を耳にしたことも大きかった。

この恐るべき危機があった一九九五年といえば、わたしは初めての著書『東京発モスクワ秘密文書』（新潮社）を上梓(じょうし)し、執筆活動をスタートさせていた。

もし米露での核戦争が勃発していたら、世界はどうなっていただろうか。

本書の編集担当者は、その『東京発モスクワ秘密文書』を企画、編集してくださった新潮社「新潮新書」編集部の丸山秀樹氏である。往時に立ち返る不思議なめぐり合わせに感謝したい。

二〇二一年一月

中村逸郎

参考文献一覧（出版年の新しい順に掲載）

以下の書物は、ロシア人がつむぐ精神性、伝統、文化から日常生活にいたる多様な「神話」を論じている。たとえば、なぜロシア人は酒が好きで仕事を怠けるのか、なぜよく喧嘩するのか、そしてなぜ他人を騙すのか。なかにはロシア人の残忍さに言及する一方で、美徳として強い忍耐力を称えている書物もある。これらの理由を著者たちは、自然環境、歴史、宗教などをとおして解明しようとしている。

どの書物も独特の作風をもっており、ロシアの文学や芸術に通底する奇怪なおもしろさを堪能できる。わたしはさまざまな体験をするたびに、ロシア人の背景を探ろうと読みふけった。

（1）Мединский В. Мифы о русской демократии, грязи и «тюрьме народов». М.: Эксмо, 2019г.
（2）Мединский В. Мифы о русском воровстве, душе и долготерпении. М.: Эксмо, 2019г.
（3）Мединский В. Об «особом пути» и загадочной русской душе. М.: ОЛМА Медиа Групп, 2015г.
（4）Мединский В. О том, кто и когда сочинял мифы о России. М.: ОЛМА Медиа Групп, 2015г.
（5）Мединский В. О России – «тюрьме народов». М.: ОЛМА Медиа Групп, 2015г.
（6）Мединский В. О жестокости русской истории и народном долготерпении. М.: ОЛМА Медиа Групп, 2015г.
（7）Мединский В. О русском пьянстве, лени, дорогах и дураках. М.: ОЛМА Медиа Групп, 2015г.

(8) Мединский В. О том, кто и когда сочинял мифы о России. М.: ОЛМА Медиа Групп, 2015г.
(9) Так говорил Путин. Под ред. Л. Бершидского. М.: Эксмо, 2011г.
(10) Российская империя чувств: Подходы к культурной истории эмоций. Под ред. Я. Плампера. М.: Новое литературное обозрение, 2010г.
(11) Мединский В. О русской угрозе и секретном плане Петра I. М.: ОЛМА Медиа Групп, 2010г.
(12) Шепп М. Инструкция по применению: Москва. М.: Аякс-Пресс, 2009г.
(13) Россия. Большой лингвострановедческий словарь. Под общ. ред. Ю.Е. Прохорова. М.: Аякс-Пресс Книга, 2009г.
(14) Сергеева А. Русские: стереотипы поведения, традиции, ментальность. М.: Флинта, 2007г.
(15) Горянин Ф. Мифы о России и дух нации. М.: Pentagraphic, 2002г.
(16) Паршев А. Почему Россия не Америка? М.: Крымский мост, 2002г.
(17) Жельвис В. Эти странные русские. М.: Эгмонт Россия Лтд, 2001г.
(18) Воловик В. Тайны жеста. М.: Астрель-АСТ, 2001г.
(19) Волянский С., Калюжный Д. Понять Россию умом. М.:Алгоритм, 2001г.
(20) Волянский С., Калюжный Д. Другая история Руси: От Европы до Монголии. М.: Вече, 2001г.

本書は書下ろしです。

目次・図版製作：ブリュッケ
本文中の写真提供：著者

中村逸郎　筑波大学教授。学習院大学大学院政治学研究科博士課程単位取得退学。モスクワ大学、ソ連科学アカデミーに留学。著作に『シベリア最深紀行』『ロシア市民』『ろくでなしのロシア』など。

Ⓢ新潮新書

896

ロシアを決して信じるな

著者　中村逸郎

2021年2月20日　発行
2022年4月30日　5刷

発行者　佐藤隆信
発行所　株式会社新潮社
〒162-8711　東京都新宿区矢来町71番地
編集部(03)3266-5430　読者係(03)3266-5111
https://www.shinchosha.co.jp

印刷所　株式会社光邦
製本所　株式会社大進堂

ISBN978-4-10-610896-9　C0225

価格はカバーに表示してあります。

S 新潮新書

888
2021年以後の世界秩序
国際情勢を読む20のアングル
渡部恒雄

米大統領選に言及するまでもなく、混迷する国際情勢の行方は、これまでの間尺ではもはや見通すことができない。新たな時代の世界秩序を読み解く20の視点を、第一人者が提示する。

877
インサイドレポート
中国コロナの真相
宮崎紀秀

初動を遅らせた原因は「習近平独裁」にあった——。猛烈な危機の拡大とその封じ込めの過程で、共産党中国は何を隠し、何を犠牲にしたのか。北京在住の記者による戦慄のレポート。

516
悪韓論
室谷克実

こんな国から学ぶべきことなど一つもない！喧伝される経済・文化の発展はすべてがまやかしだ。外見は華やかでもその内実は貧弱な隣国。その悪しき思考と行動の虚飾を剝ぎとる。

872
国家の怠慢
高橋洋一
原　英史

新型コロナウイルスは、日本の社会システムの不備を残酷なまでに炙り出した。これまで多くの行政改革を成し遂げてきた二人のエキスパートが、問題の核心を徹底的に論じ合う。

613
超訳　日本国憲法
池上　彰

《努力しないと自由を失う》《働けるのに働かないのは違憲》《結婚に他人は口出しできない》《「戦争放棄」論争の元は11文字》……明解な池上版「全文訳」。一生役立つ「憲法の基礎知識」。